FUTAMI WAi WAi

源義経99の謎と真相

高木浩明 監修

二見文庫

はじめに

義経は典型的な「使い捨てにされた人間」だった。

終身雇用制度が揺らぎはじめた今の日本の社会において、リストラの恐怖にさらされている企業戦士たち、会社に自分の人生を捧げたにもかかわらず、リストラの名のもとに自分の愛した会社を去っていかねばならない者たちそのものなのかもしれない。

一の谷、屋島、壇ノ浦での義経の奇襲作戦によって、ついに平家は歴史の表舞台から引きずり下ろされ、源氏の世となった。義経の活躍なくして源氏の世はなかったといっても言い過ぎることはない。にもかかわらず、この異端分子・義経はやがて兄の頼朝に疎まれるようになり、追われて諸国を流浪して、奥州平泉へと落ち延びるものの、兄の謀略によって闇に葬《ほうむ》り去られてしまう。実にあっけない最期である。義経が歴史の表舞台に立ってからわずかに五年しかたっていない。こんなひどい話があるか――こうした義経に対する思いがいわゆる「判官びいき」となって、義経はその後、長く生きつづけることとなった。

なぜ義経は頼朝に疎《うと》まれねばならなかったのか？　この謎をはじめとして、日本人に最も愛される英雄・源義経には出生からその死に至るまで実に謎が多い。

本書では義経にまつわる99の謎について、各氏がその真相究明につとめた。冨澤慎人、小井土守敏、岡田博子、鵜飼伴子、久保勇の各氏は中古、中世、近世文学を専門にした新進気鋭の研究者で、近年その業績が学会でも注目されている方たちばかりである。瀬戸慎一郎、武田櫂太郎、四條たか子の各氏は、得意の歴史分野で活躍され、すでにご自身の著作を多く持たれている方たちで、本書をきっかけに知遇を得た。また、近年歴史関係の雑誌にわかりやすい筆致で、数々の文章を寄せられ定評のある財前又右衛門氏は、某国立高専の教授で、平安和歌文学の分野ではよく知られた研究者でもある。

以上、執筆メンバーについては他の類書に比しても遜色はない。はたして義経についての謎は明らかになったであろうか。その評価は読者に委ねたいと思う。忌憚《きたん》のないご意見、ご感想をお寄せいただければ幸いである。

最後になったが、本書を成すにあたって、執筆・発行の機会を与えてくださった二見書房編集部の多田勝利氏、企画から編集・製作に至る過程で尽力くださったブルボンクリエイションの小出・川﨑の両氏には、ここに記して心より感謝したい。

二〇〇四年十月

代々木ゼミナール講師　高木　浩明

「源義経99の謎と真相」●目次

第1章 義経の出生と奥州にまつわる謎

冨澤慎人(私立普連土学園中学校・高等学校教諭)

第3章 平家滅亡に追いこんだ義経、怒濤の快進撃の謎

高木浩明（代々木ゼミナール講師）

第2章　兄・頼朝との再会と初陣をめぐる謎

小井土守敏（昭和学院短期大学助教授）

第4章　栄光の道を閉ざされた英雄・義経の流浪の日々の謎

瀬戸慎一郎（歴史ライター）

第5章　奥州で悲劇の最期を遂げた義経にまつわる謎

武田櫂太郎（歴史ライター）

第6章　義経のイメージを覆す史実とスキャンダルの謎

岡田博子（二松学舎大学東アジア学術総合研究所研究員）
財前又右衛門（歴史作家）
高木浩明（代々木ゼミナール講師）

第7章　悲劇の英雄・義経を支えた家来たちの謎

鵜飼伴子（早稲田大学21世紀COE特別研究生）

第8章 義経伝説を彩った輝かしい脇役たちの謎

四條たか子（歴史ライター）

第9章　時代を超えていま再びよみがえる義経伝説の謎

久保　勇（千葉大学大学院社会文化研究科助手）
高木浩明（代々木ゼミナール講師）

カバーイラスト／中川恵司　本文デザイン／上田良治

第1章

義経の出生と奥州にまつわる謎

1 義経が生まれた年に起こった源氏の悲劇とは？

義経が生まれたころの日本は、武士が台頭しつつあった平安時代末期で、政治の主導権をめぐる争いが立てつづけに起こっていた。

保元《ほうげん》元年（一一五六）、朝廷内で後白河《ごしらかわ》天皇と崇徳《すとく》上皇が対立し、さらに藤原摂関家や武士団までも巻きこみ、源氏や平家をそれぞれ二分するような大きな戦《いくさ》に発展した。保元の乱といわれる内乱である。その三年後の平治《へいじ》元年（一一五九）には、平治の乱が勃発《ぼっぱつ》する。

この本の主人公・義経（幼名＝牛若）が生まれたのは、まさに平治元年、平治の乱が起きたその年だ。義経の父は東国、とくに鎌倉を中心に勢力を整えていた源義朝《よしとも》、母は常盤《ときわ》御前《ごぜん》と呼ばれた女性であった。

平治元年十二月九日深夜、義経の父・義朝と藤原信頼《のぶより》はクーデターを起こし、時の権力者藤原信西《しんぜい》を殺害して、後白河法皇・二条天皇を軟禁《なんきん》した。これが平治の乱である。義朝は、保元の乱で父・為義《ためよし》と袂《たもと》を分かって後白河院側として戦い、勝者となったが、戦後の恩賞の少なさや、敗者となった父・為義の助命嘆願《じょめいたんがん》が容《い》れられなかったことに不満を抱いていたことが、この反乱の契機となった。

京都市北区紫竹牛若町にある牛若丸誕生の井戸

　しかし、このクーデターは、平清盛を筆頭とした平家の活躍によりあっさり終結する。敗れた義朝は再起を期して東国に落ち延び、義朝の乳母子《めのとご》・鎌田正清《かまたまさきよ》（政家《まさいえ》とも）の舅《しゅうと》である長田忠致《おさだただむね》を頼ったが、翌年正月三日、その忠致によって義朝は謀殺《ぼうさつ》されてしまう。

　義経（牛若）はこの戦の直後、兄の今若、乙若の手を引いた母の常盤御前に抱かれて雪の降るなかを大和《やまと》（現在の奈良県）へ逃げ延びた。しかし、平家の執拗《しつよう》なまでの追及に、この母子は結局みずから名乗り出ることになる。このとき、義経はわずか二歳。

　常盤御前はたぐいまれな美貌《びぼう》の持ち主であったので、平清盛は常盤御前を気に入り、条件つきではあるが、この母子の命を助けた。三人の子は出家が条件とされ、義経ものちに鞍馬寺に預けられることになる。

源氏敗北の年に生まれた義経は、父親を知らずに育った。もちろん、自分が源氏の一門であることも知らなかったらしい。

義経（牛若）が事実を知るのは、鞍馬寺での修行中のことだ。その後、義経は打倒平家をめざし、武芸の稽古《けいこ》に励むようになっていく。

2 義経の母はその後、敵・平清盛の子を産んでいた！

義経には、たくさんの兄弟がいた。平治の乱のあと、雪のなかを常盤御前と逃げた今若、乙若。そのほかに「鎌倉悪源太《あくげんた》」と呼ばれた義平《よしひら》、のちに源氏の総大将になる頼朝、源平の争乱のときに活躍する範頼《のりより》など、九男二女、十一人兄弟。その九男が義経であった。

このうち、義経（牛若）と母を同じくするのは全成《ぜんせい》（今若）、義円《ぎえん》（乙若）の二人だが、これはあくまでも義朝の子としての話。

しかし、義経にはほかにも兄弟が存在する。実は常盤御前の子は、義朝の子三人だけではなかったのだ。

そもそも、常盤御前は絶世の美女であった。

義経とその兄弟たち

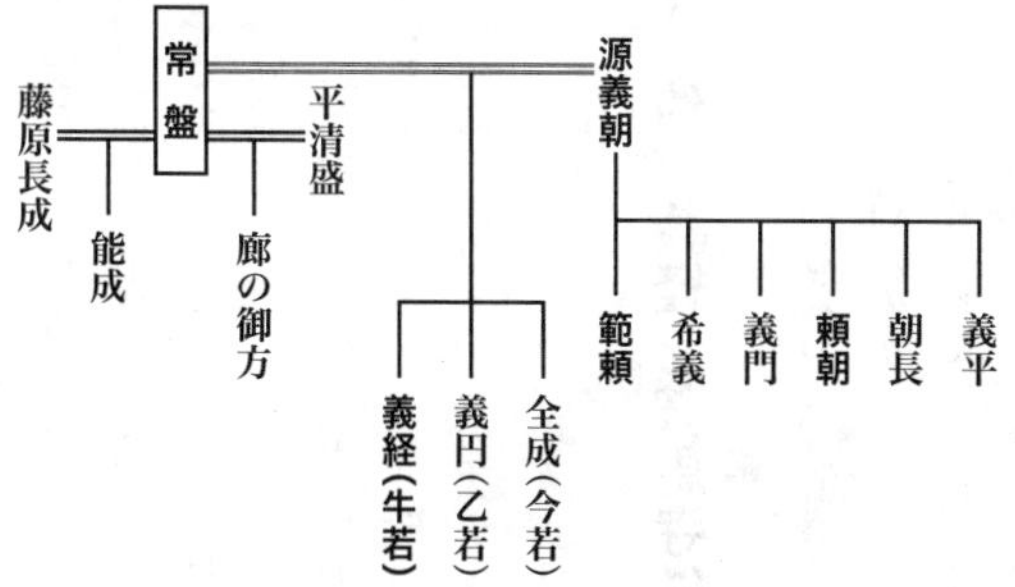

時の中宮《ちゅうぐう》、九条院呈子《くじょういんていし》の御所に、見目麗《みめうるわ》しい女官《にょかん》を参らせようとして、美しいと評判の女性を宮中から千人召し出して、そのなかから百人を選び、さらにそのなかから十人を選び、その十人のなかから、たったひとり選ばれたのが、この常盤御前であった。当代一の美女といっても過言ではない。

そして常盤御前は義朝と知り合い、三人の男子をもうける。そのなかのひとりが義経である。平治の乱のあと、この三人の子は清盛に出家を前提に許されて命をつなぐことになるが、実はこのとき、三人を許すかわりに、常盤御前は清盛の側室になってしまうのだ。

そして、義経の妹が誕生する。なんと常盤御前は清盛の子を宿すのである。義経にとっては父親の、また常盤御前にとっては夫の仇《あだ》の子にあたる。この清盛と常盤御前の子は「廊《ろう》の御方」と呼ばれ、のちに右大臣をつとめた藤原兼雅《かねまさ》に嫁ぎ、二人の男子を産んでいる。

さらに常盤御前は、清盛の愛情が冷めはじめると、一条大蔵卿《いちじょうおおくらきょう》・藤原長成《ながなり》のもとに身を寄せる。そこで、さらに一子《いっし》をもうけるのだ。この、長成との子の名は能成《よしなり》。のちに従《じゅ》三位《さんみ》の位まで昇進する。

義経と能成の年の差は四歳。常盤御前は四年のあいだに、源氏と平家、さらに藤原氏の子を産んでいることになる。一見、変わり身が早いようにみえる常盤御前だが、戦乱の世を生き抜くためには、みずからの美貌を武器に、このような手段を使うほかはなかったのだろう。

3　幼い義経を鞍馬寺に預けた母・常盤御前の思惑は？

常盤御前が生き延びるために、清盛や一条大蔵卿・藤原長成のもとに身を寄せていたとき、義経はどうしていたのか。

まだ「牛若丸」と呼ばれていた義経は、しばらく母のもとにいた。牛若丸はその人となりや振舞《ふるまい》が人より優れており、それを目の当たりにした清盛は、「敵の子を同じところで

鞍馬山の東光坊跡に立つ義経供養塔（京都市左京区）

育てていては、あとあとどうなることかわからない」と恐れをなし、もとは源氏の家臣だが出家して山科《やましな》に住んでいた者の家に預けさせた。四歳のときである。牛若丸はそこで七歳まで育てられたという。

その後、牛若丸は鞍馬寺に預けられる。鞍馬寺が選ばれたのは、常盤御前の希望であった。鞍馬寺には義朝が祈祷《きとう》を頼んでいた東光坊《とうこうぼう》阿闍梨覚日《あじゃりかくにち》という僧がいた。常盤御前は牛若丸を彼に預けて、ただただ父・義朝の追善《ついぜん》供養をさせたい、という思いであったようだ。

このころ常盤御前は清盛との関係に終止符を打っていたとはいえ、義経の預け先に、このようないわくのある寺を選んだことが、のちの牛若丸の運命を決定づけることになる。が、このとき牛若丸はいまだ自身の出自を知らない。

鞍馬寺に入った牛若丸は「遮那王《しゃなおう》」と呼ばれ、日々、学問に精を出す。一日じゅう経《きょう》を読み、仏の教えを学んで、夕日が西に傾くころになると、仏前の灯火《ともしび》が消えるまで書物を読み、寅の刻（午前四時から六時ごろまで）になっても学問に励んでいたという。

そのようすは、師である東光坊も、これほど熱心に学問に精進する者はいないと評価しており、また、遮那王（義経）の容姿も端麗《たんれい》なことから周囲の僧たちも、「このまま二十歳になるまで学問を続けたならば、師である東光坊の後を継ぎ、仏法を承《う》け伝え、鞍馬の本尊である多聞天《たもんてん》の宝として尊《とうと》ばれる人になるだろう」と噂《うわさ》するほどであったという。母の常盤御前は、この遮那王のようすを聞き、

「遮那王がどんなに学問に精進していようとも、心が寺ではなく、自分の家に残っていれば、怠惰《たいだ》な心が起こり、学問にも支障が出てくるだろう。遮那王が母のことを『恋しい、一目見たい』などというようなことがあれば、母はそこまで参上し、一目会って突っ返そう。そうでなくとも、寺に入った者が里に下ることは、なかなかたやすいことではない」

といって、二年に一度も里帰りを許さなかったという。

常盤御前や師の東光坊の願いのとおり、一途《いちず》に学問に励んでいた遮那王に変化が起きたのは、十五歳の秋ごろからであった。この年、遮那王は自身の出自の秘密を知ることになる。

自分が義朝の子であることを知った遮那王は、明けても暮れても平家打倒のことを考え、昼は兵法書を学び、夜は人知れず鞍馬の山奥で武芸の稽古に励むようになった。このとき、天狗に武芸を習っていたという伝承もある。

そしてついに、十六歳のとき、遮那王は鞍馬寺から忽然《こつぜん》と姿を消す。

4 義経はどうやって出生の秘密を知ったのか？

遮那王（義経）は、鞍馬寺に入るまで、自分の出自を知らなかった。鞍馬寺では、一心に学問に打ちこんでいた。ところが、自分が平治の乱で平家に敗れた義朝の子であると知り、鞍馬寺を出奔《しゅっぽん》することになる。

なぜ遮那王は、自身の出自を知ることになったのか。

『義経記《ぎけいき》』によると、源義朝の子であることを遮那王に教えた人物がいる。彼の名は少進《しょうしん》坊《ぼう》（一説に正門坊《しょうもんぼう》）、義朝の乳母子・鎌田次郎正清（政家とも）の子で、俗名は鎌田三郎正《かまたさぶろうまさ》近《ちか》という。彼は平治の乱のとき十一歳、源氏の一門であったため斬られるところを、外戚《がいせき》の者に隠されて生き延びたという。

彼の父親は、平治の乱のとき清盛に討たれており、すんでのところで命をつないだ彼は、その後出家して諸国をめぐっていた。しかし、平家の繁栄を見るにつけ、いつか謀反《むほん》を起こし、源氏を再興させることを願った。

都に戻っていた少進坊は、鞍馬寺に義朝の子・遮那王がいることを知る。もし、遮那王の人となりが信頼できるものであるならば、伊豆《いず》（現在の静岡県）に流されている頼朝のところに遮那王を連れて馳《は》せ参じ、謀反を起こしたいと考える。矢も盾もたまらず彼は鞍馬寺に出向き、遮那王をその眼でしっかと見定めるのである。

人が寝静まったある夜、少進坊は行動を起こす。遮那王のもとまで行き、耳に口を当ててささやく。

「あなたは清和《せいわ》天皇十代の末、源義朝公の御子《おこ》でございます」

平家全盛の折、義経ははじめ、だまされていると思い相手にしなかった。が、彼は熱心に、そして詳《つまび》らかに源氏代々の出来事を遮那王に語りはじめる。そこで、義経はやっと、自分が源氏の一門であることを知る、というのだが、この話はどうもうさん臭い。本当に少進坊が、早く平家を討ちたいのであれば、自身が語るように、真っ先に伊豆の頼朝のところに駆けつければいいのだ。

もうひとつ、こんな話が伝わっている。

義経が鞍馬寺で「遮那王」と呼ばれていた十一歳のとき、かねて母から語り聞かされていたことを思い出し、家々の系図を見たところ、自分は、清和天皇の流れの源氏であることと、それも源義朝の子であることを知った、というのである。これは『平治物語』のなかに出てくる話だが、先の『義経記』の話と比べると、現実味をおびている。

遮那王（義経）は自分自身で出生の秘密、出自の謎を解明したのである。

5　義経を奥州に導いた謎の商人「金売吉次」の正体は？

鞍馬寺から姿を消した義経は、その後しばらくして奥州に現われる。

当時、奥州は「藤原三代」といわれる奥州藤原氏の支配下にあり、全盛を誇る平家の手も届かない地域であった。

義経を奥州へ連れて行ったとされるのが、金売吉次《かねうりきちじ》と呼ばれる謎の商人である。

金売吉次は、伝説的な人物であり、その名も、『平治物語』では「毎年陸奥《むつ》に下る金商人」としか記されておらず、『義経記』では、「三条に住む金商人、吉次信高《きちじのぶたか》」、『源平盛衰《げんぺいじょうすい》記《き》』では「五条の橘次末春《きつじすえはる》」とされているなど、その実体は謎に包まれている。

義経と吉次の出会いにも、いくつかの伝承がある。

『平治物語』では、義経から吉次に近づいている。毎年鞍馬に参詣《さんけい》する吉次が、奥州に下る金商人であることを知った義経は、「自分を奥州に連れて行けば、特別な人を知っているから、その人から金二、三十両をもらってあげよう」と話を持ちかけるのだ。

『義経記』では、だいぶようすが異《こと》なる。こちらの話では吉次から義経に近づく。かねてより、奥州藤原氏の秀衡《ひでひら》が、

「鞍馬寺に義朝殿の忘れ形見がいらっしゃるということだが、その方を奥州に招き入れ、奥州に都をつくり、源氏の君を総大将として、平家に対抗したいものだ」

と、いっていたと義経に伝え、その気になった義経を奥州に導くのである。もちろん、これは吉次の謀《はか》りごとで、実際に秀衡が義経と面会したあと、秀衡から謀反の話が出ることはなく、義経からも何もいいだせない状況が続いたとある。

伝承は異なるが、吉次が義経を奥州に導いたのは、平家に対する反発でも、源氏に対する同情でもない。『平治物語』の吉次は「金二、三十両」にすばやく反応し、二つ返事で義経の奥州下りに協力し、『義経記』では、秀衡からの褒美《ほうび》目《もく》当てに、義経をだまして、目論見《ろみ》どおり秀衡からは莫大《ばくだい》な引出物《ひきでもの》に加えて、砂金をたくさん賜《たまわ》った。吉次は褒美をもらうと、また急ぎ京に上っていったという。

そもそも、吉次は金商人である。奥州に毎年下っていたのは、当時の奥州が砂金の産地として名高かったからだ。そして、奥州藤原氏は、その金を手中に収めていたのである。

藤原三代の遺体が納められている中尊寺《ちゅうそんじ》の金色堂《こんじきどう》は、往時の栄華を今に伝えている。

本当のところ、義経が鞍馬寺を抜け出したあとのことは、ほとんどわかっていない。身を隠していたのは平家の眼を逃れるためであり、義経が打倒平家を志し、鞍馬寺を出たのは確かなようだ。

6 「源九郎義経」の名づけ親は誰？

義経には三つの名がある。「牛若丸」「遮那王」、そして「源九郎義経」である。

「牛若丸」というのは幼名で、通常は元服するまで使われる名だが、義経は寺に預けられたので、稚児《ちご》としての童名として鞍馬寺では「遮那王」と呼ばれていた。そして彼は出家をする前に鞍馬寺から消えたのだ。

やがて元服し、「源九郎義経」を名乗ることになるのだが、いつ、どこで元服をしたのか。元服のときには、烏帽子親《えぼしおや》なる人物が、新成人の頭に烏帽子をかぶせ、大人としての名、烏帽子名をつけるのが慣例である。義経の烏帽子親は、いったい誰なのか。

『義経記』によると、義経の元服は十六歳、鞍馬寺を飛び出し、奥州に向かう途中に行なわれたとする。烏帽子親は尾張国《おわり》（現在の愛知県）熱田《あつた》神宮の大宮司《だいぐうじ》であった。義経は平

義経が元服したといわれる熱田神宮（名古屋市熱田区）

家のお膝元《ひざもと》である都を早々に立ち去り、熱田までたどり着いたが、いまだ稚児の姿のままであった。早く元服し、一人前の男となって奥州に下りたいという義経の気持ちに熱田神宮の大宮司が応《こた》えた格好である。

熱田神宮と源氏の結びつきは深い。先代の大宮司の娘・由良《ゆら》御前は、源義朝に嫁ぎ、頼朝を産んでいるのだ。義経に烏帽子を授けた大宮司は、頼朝の母の兄弟であり、義経にとっては「おじ」にあたる。平家全盛の世に義経の烏帽子親を引き受けるのもうなずけよう。

そして義経に烏帽子名をつけるのだが、この大宮司は義経を義朝の八男とし、

「八郎と名乗るべきなのだろうが、鎮西《ちんぜい》八郎為朝《ためとも》が保元の乱の際に流されていて、縁起《えんぎ》が悪い。だから八郎の次の〝九郎〟がよかろう。

そして先祖代々受け継がれた〝義〟の字をとって〝義経〟と名づけよう」と義経に伝えたとある。

しかし、義経は義朝の九男だ。甥《おい》っ子の兄弟の数を間違えている。さらに「九郎」の部分は、本来、実の兄弟の生まれ順につけるものではなく、烏帽子親として何番目の子であるかで決まるもので、血縁には関係ない烏帽子子《えぼしご》としての順なのである。義経の人生をドラマティックに展開させようとして創られたのだ。

実際の義経の元服は非常に寂しいものであった。ひそかに都を出て、近江《おうみ》国鏡の宿（滋賀県竜王町）というところでみずから烏帽子をかぶり、心ばかりの元服式をあげて、「源九郎義経」を名乗ったようだ。

烏帽子親がいないので、「九郎」は義朝の九男を意味しているのだろう。そして、慣例では烏帽子親から一字いただくことになっている名は、実の父・義朝をはじめ、源氏代々の武将から「義」の一字をもらっていることは明らかである。

義経の名前にまつわる話はこれだけでは終わらない。のち頼朝に追われる身となる義経は、自分の知らないうちに「義行《よしゆき》」「義顕《よしあき》」と、二度改名させられているのだ。頼朝と協力関係にあった朝廷内の実力者・九条兼実《くじょうかねざね》の子の良経《よしつね》が、義経と同音であったことがその理由。孤独な元服は、その後の義経の人生と名前の数奇《すうき》な運命を暗示しているようである。

7 義経の強盗退治伝説に秘められた歴史の謎

義経が強盗を退治したのは、奥州へ向かう途中のことだ。

義経は、鞍馬寺を抜け出し、金売吉次とともに近江国鏡の宿（滋賀県竜王町）で、吉次の知り合いの家に一晩の宿を借りる。強盗退治はこの宿で行なわれた。

鏡の宿に金商人が宿泊しているという噂を聞きつけた由利《ゆり》太郎、藤沢入道という二人の盗賊が、吉次の財宝を狙って、七十人の手下を引き連れてこの宿を襲ったのだ。

吉次はこの突然の襲撃を、平家が義経を追ってきたのだと勘違いし、取るものも取りあえず、命からがら逃げ出す。

義経はまだ元服もすませていない身であったが、

「都を出たときから、我が命は源氏のために捧《ささ》げている。同じことなら逃げずに戦い、屍《しかばね》を鏡の宿に晒《さら》したほうがましだ」

と、稚児の姿のまま太刀を取り、盗人たちのなかを駆け抜け、八人を一気に斬り倒し、由利太郎と対峙する。義経は由利太郎の首をいとも簡単に討ち落とし、藤沢入道の大長刀にもひるまず、太刀で入道の頭を、兜《かぶと》ごとたたき割る大活躍をする。

このあと義経は元服を果たし、正式に源氏の一党であることを世に示すのだが、こんな話も伝わっている。

義経は元服したあと、しばらく奥州に下らずにいた。一年ほどたったある日、身の丈六尺（約一八〇センチ）はあろうかという馬盗人が、捕えようとする人々を相手に大暴れしているところに出くわす。誰も手出しができずにいたので、義経はその大男のそばに寄り、腰を持ち、いとも簡単に投げ飛ばし、あっという間に捕えたという。

また、農家に強盗が入ったところに偶然通りかかった義経が、盗人六人のなかに入り、電光石火《でんこうせっか》、四人を斬り殺し、二人に重傷を負わせたという話も、元服後、奥州に向かうまでのこととして伝わっている。

義経が強盗を退治したという逸話は、さまざまな作品や伝承で、場所と盗賊の名を変えながら語り伝えられている。すべてをそのまま信じるわけにはいかないが、義経と盗賊の関係について、興味深い話もある。

義経に付き従って活躍した家臣たちのなかに、もとは盗賊であったと伝えられる者（たとえば伊勢三郎義盛）が非常に多いのだ。

源平の戦における義経軍の奇抜な戦術や、個性的な家臣団のことを考えると、彼らのなかに、そういった出自の者がいたとしても不思議なことではない。義経の盗賊退治の話には、単なる伝説とはいいきれない歴史の謎が隠されている。

8 義経は奥州に行くとき、なぜ回り道をしたのか？

義経は、承安《しょうあん》四年（一一七四）二月二日のあけぼのに、薄化粧《うすげしょう》に眉《まゆ》を細く作り、髪を高く結《ゆ》い上げた稚児の格好のまま鞍馬寺を抜け出した。このあとの道行きは伝説となり、各地に義経ゆかりの名所旧跡が生まれ、現在でも義経が腰掛けたという「腰掛石」や、馬をつないだとされる松などが残っている。

さまざまな伝説のなかでも有名なのが、鞍馬寺を抜け出し、金売吉次と落ち合った義経が平家の追走を恐れ、馬に乗り一気に近江国鏡の宿（滋賀県竜王町）に駆け出した話だろう。鏡の宿では強盗を退治し、熱田神宮で元服をすませた義経は、駿河《するが》国浮島ヶ原（静岡県沼津市）というところにたどり着く。

ここで義経は阿野禅師《あのぜんじ》なる人物と出会う。この阿野禅師こそ、幼名今若。雪のなか常盤御前とともに逃げた義経の実兄である。涙の再会に、平家打倒の意志をより強くした義経は、警固が厳しく対面を果たせない頼朝に手紙をしたため、阿野禅師にあとを託し、伊豆の三島神社（静岡県三島市）で一晩じゅう、源氏再興を祈願したのちに再び奥州に向けて旅立つ。

　その後、下野国《しもつけ》（現在の栃木県）まで来た義経は、鞍馬寺でのある出会いを思い出す。東光坊の膝《ひざ》の上で寝ていた義経を見て、「義朝公の御子にお伝えください。私は下野国下河辺の者ですが、平家に謀反を起こすときは、ぜひ訪ねてくださるように」と言い残して去った人物がいたことを。

　義経はこのときの陵《みささぎ》の兵衛《ひょうえ》という人物のもとを訪れ面会するが、陵の兵衛は平家を恐れて、「せめて清盛亡きあと、立ち上がりましょう」などといいだしたので、怒った義経はその夜、火を放ち、この屋敷を焼き払い、かき消すようにその場から去ったとされる。

　このあと、義経は上野国《こうづけ》（現在の群馬県）に現われる。板鼻《いたはな》（安中市）というところで、とある館に宿を借りるのだが、この家の主《あるじ》の言動を見るにつけ、しだいに心を開くようになった義経は二、三日の逗留《とうりゅう》のあと、ついに自分の正体を明かす。実はこの館の主は伊勢《いせ》三郎義盛《さぶろうよしもり》といい、源氏の一門であった。ここで義経と主従の関係を結んだ伊勢三郎は、のちに義経四天王のひとりに数えられる存在になる。

　別の伝承では、伊豆で義経は頼朝に会っている。義経の意気に感じた頼朝はひとりの女性を紹介し、訪ねるように勧める。義経は頼朝の言葉どおり陸奥に下り、その女性と対面するが、この女性の子には佐藤継信《さとうつぐのぶ》・忠信《ただのぶ》という兄弟がいて、のちには義経のよき家臣となるのだ。

義経の奥州下りの伝説をみると、回り道をしながらゆっくりと歩みを進めている印象がある。この回り道の目的は家臣探し。ひとりも家来のいなかった義経は、どうやら奥州に下りながら、家臣団を形成していったようだ。

9 弁慶との出会いは「五条の橋の上」ではなかった！

「京の五条の橋の上、大の男の弁慶は、長いなぎなた振りあげて、牛若めがけて斬りかかる」

と、小学唱歌に歌われた牛若丸と弁慶の有名なシーン。弁慶は五条の橋に夜な夜な現われ、千本を目標に通行人の太刀を奪い取っていた。そこに薄化粧の、少女と見間違えるばかりの美少年、牛若丸が通りかかり……。

これが、多くの人々がイメージする義経と弁慶のなれそめだろう。

ところが、この、よく知られている場面には、いくつか古い伝承と異なっている点がある。

第一に、この二人が出会ったのは、義経元服後のことで、牛若丸時代ではない。

義経は鞍馬寺を出て、元服したのち奥州で藤原秀衡と対面し、しばらくは秀衡のもとで

五条大橋の西側に建つ牛若丸弁慶像（京都市下京区）

暮らす。しかし平家打倒の具体的な話がまったく進まないので、義経は奥州を抜け出し再び京へ舞い戻る。そのころ、京で噂になっていた人物こそ弁慶であった。夜な夜な街に現われて、太刀を奪い歩いていたのだ。

太刀九百九十九本を集めた弁慶、最後の一本は最高級の太刀が欲しいと五条の天神さまに祈り、千本目の太刀が現われるのを待つ。

このあと、義経と弁慶の対面となるのだが、運命の場所は五条の橋ではない。そのとき、弁慶は太刀を求めて堀川通りを歩いていた。黄金造りの太刀を持った義経に、弁慶が挑んだのは、堀川通りのどこか、ということになる。

斬りかかった弁慶が手に持っていたのも、薙刀《なぎなた》ではなく太刀。当然、義経は弁慶の攻撃をひらりとかわす。ただし、橋の上の戦いではないので、義経が飛び乗ったのは欄干《らんかん》ではなく築地《ついじ》、垣根《かきね》であった。この日の勝負はここまで。義経は九尺（約三メートル）の築地を飛び越えて姿を消すのだ。この日、弁慶は空《むな》しく帰ることになる。

そして翌日、弁慶と義経は清水《きよみず》で再会する。闇に消えた義経の行方を追い求めた弁慶は縁日で多くの人々が参詣していた清水寺にあたりをつけ、待ち伏せしていたのだ。恐るべき直感である。夜ふけまで待った弁慶の前に、みごと義経は現われるのだ。昨晩の雪辱《せつじょく》を果たすべく弁慶は薙刀を振りかざし義経と対峙する。参詣の人々で賑わう清水の舞台で、決闘は行なわれている。

この清水の決闘で弁慶は組み伏せられ、以後は義経の家来として、影のように義経に付き従い活躍、その名を轟《とどろ》かせるのである。

鎌倉時代の記録に「弁慶」という名は残されており、実在した人物ではあるようだが、義経の前半生と同様、弁慶の人生も伝説化されていて、その出自や行動も後世、創りあげられた部分が非常に多い。五条の橋での義経との決闘も、さまざまな伝承が結びついて形作られてきたものだ。

ちなみに、弁慶の七つ道具も、弁慶の人生が伝説化される過程で創り出されたもので、古い伝承では弁慶の武器は太刀と薙刀のみであった。

10　義経に不思議な力を与えた兵法書『六韜』の秘密

奥州に下る途中、強盗を退治し、また、京の街なかで大暴れしていた弁慶を打ちのめして家臣にした義経。その強さはどこからきたのか。

義経は十五歳まで争いごととは無縁にすごした。豹変《ひょうへん》するのは、自身の出自を知ってからのことだ。

自分が源氏の一門であることを知った義経（当時は遮那王）は、毎夜、鞍馬寺を抜け出し、僧正ヶ谷を越え、さらに山深い貴船神社で武芸の稽古に励んでいた。当時、鞍馬山一帯は、天狗が住みつき、もののけの叫び声がこだましているという評判が立つような場所であった。義経の稽古自体は、四方の木々を平家に見立てて太刀で斬りつける、といったたぐいのものであったようだが、鬱蒼《うっそう》として昼でも暗い森のなかで、毎晩の稽古は、のちのち、義経が毎晩鞍馬の天狗に武芸や妖術を習っていたという伝説として語られていく。

ともあれ、貴船神社への日参が、義経に大きな変化をもたらしたのは確かなようだ。

このころ、義経はいまだ稚児の身、鞍馬寺に入ってはいるものの、僧にはなっていなかった。ある日を境に義経に変化が起きたことに気づいた鞍馬寺の僧たちは、義経を出家させようと説得を試みるのだが、義経は応じず、刀の柄《つか》に手をかけて、人を寄せつけようともしなかったという。

その後、鞍馬寺を出て、いったん奥州に下り、再び京に戻ってきた義経は、ある噂を耳にする。一条堀川に住む陰陽師《おんみょうじ》・鬼一法眼《きいちほうげん》が『六韜《りくとう》』と呼ばれる兵法書を秘蔵しているというのだ。この兵法書は古代中国の兵法書で、周の太公望《たいこうぼう》の書ともいわれるものだ。征夷《せいい》大将軍《たいしょうぐん》・坂上田村麻呂《さかのうえのたむらまろ》、鎮守府将軍・藤原利仁《としひと》、平将門《まさかど》らがこの書を読み、不思議な力をつけて活躍したとされていた。この書を伝える人も絶えていたが、この絶好のチャンスに義経は飛びつく。なんとかしてこの『六韜』を手に入れるべく、動きだすのである。

直接、鬼一法眼の屋敷に出向き、「『六韜』を見せてくれ」と頼むが拒絶されてしまう。義経は、いつか法眼から『六韜』のありかを聞き出そうと、そのまま法眼の屋敷内に隠れ住み、彼のもとで暮らした。そうこうしているうちにいつしか義経は鬼一法眼の娘と恋仲になり、その娘を利用して『六韜』を書き写し、念願の書を手に入れることに成功する。三カ月ほどで一字も残さず覚えたという。弁慶と出会う前の話だ。

義経の強さの秘密は、貴船神社での稽古と、兵法書『六韜』にあった。もちろん、平家打倒にかける執念、精神力の強さも持ち合わせていたのだろう。小柄な身体から発散される、弁慶を組み伏せるほどのその強靭《きょうじん》な力は、義経は妖術の使い手であったという伝説をも生み出したのだ。

11　源義経はもうひとり実在！

身代わりでも、影武者でもない。まったく同じ時代に、波乱の人生を送った源義経という人物は、もうひとり、確かに存在していたのだ。

もちろん、武家である。しかも、弁慶を従えて平家と戦った源九郎義経と同じ清和源氏の一門だ。源平の戦の際、源氏方で実際に戦っている。記録も残っている。

もうひとりの源義経は、源義光《よしみつ》の曾孫《ひまご》。詳しい生没年はわかっていないが、近江国（現在の滋賀県）を本拠地にしていた。山本冠者《かじゃ》と号し、弓や馬などの武芸に秀《ひい》でていたという。

安元《あんげん》二年（一一七六）十二月に平家によって陥《おとしい》れられ、佐渡国《さどのくに》（現在の新潟県佐渡島）に流されるが、治承《じしょう》三年（一一七九）、勅命《ちょくめい》によって許される。

翌治承四年、頼朝が挙兵。山本冠者義経はこのとき、頼朝に呼応し近江の在地武士を組織して、反平家の活動をはじめるのである。この反平家勢力は近江国を制圧し、琵琶湖の水運を支配下に入れ、北陸道からの物資の流れを押さえるなど大活躍をする。

しかし、山本冠者義経の活躍は残念ながらここで終わってしまう。平家が送り出した、平知盛《とももり》の軍勢にこの勢力は敗北し、この義経は逆賊の首謀者として追及されてしまうのだ。その後、山本冠者義経の名は歴史の表舞台から消えてしまう。どうやら鎌倉に逃れて、頼朝の配下となったようだが、そのほかの活動についてはよくわかっていない。

記録として残っているもうひとりの源義経の生涯は以上である。平知盛に敗北を喫してはいるが、頼朝の挙兵直後の、近江での山本冠者義経の活躍は、平家に抑えつけられていた源氏一門にとっては溜飲《りゅういん》の下がる思いであっただろう。

さらに、山本冠者義経の存在が、後世に大きな影響を与えていることも考えられる。山本冠者の本拠地は近江国。源九郎義経が預けられていた鞍馬寺は、実は近江と山城国《やましろ》（現在の京都府）との境にある。鞍馬から峠をひとつ越えれば、近江国なのだ。そして、義経が鞍馬を抜け出して最初に向かったところは、近江国鏡の宿（竜王町）。源義経の伝説を語るのに、近江国は避けることのできない土地なのである。

同じ時期に、鞍馬と近江に二人の義経がいた。そのどちらも対平家に関しては印象に残る戦いをし、活躍している。のちに鎌倉の頼朝を訪ねたことも共通する。大活躍をしたあと、失意のうちに鎌倉に向かった人物の名は源義経なのだ。

今なお全国各地に残る義経伝説。スーパーヒーロー・源義経が全国各地に残した伝説の誕生には、この山本冠者義経が一役買っている可能性が高い。

第2章

兄・頼朝との再会と初陣をめぐる謎

12 義経と頼朝、互いの存在をいつごろ知ったのか?

平治《へいじ》の乱で父・義朝《よしとも》を失い、母・常盤《ときわ》の懐中《かいちゅう》に抱かれて都を落ちた牛若丸は当時一歳。その後、一度は平清盛のもとに連行されたものの、助命されて鞍馬寺の東光坊《とうこうぼう》のもとで学問修行に打ちこんでいた。そのため、牛若丸はみずからの血筋や現在に至る経緯を知らずに日々を送っている。

『平治物語』によると、十一歳になった義経(当時遮那王《しゃなおう》)は、諸家の系図や日記などを読みふけるようにもなっていた。そうしたなかで、ある日偶然に、みずからが清和《せいわ》源氏の嫡流《ちゃくりゅう》であることを知る。そして、先祖頼義《よりよし》・義家《よしいえ》の奥州における輝かしい功績を知って、源氏の再興と父・義朝への報恩《ほうおん》を誓っている。

そこに掲げられる系譜に頼朝の名までは記されていないので、これによって兄の存在を知ることができたかどうかはわからないが、東光坊に剃髪《ていはつ》をすすめられた際に、義経は、「伊豆《いず》(現在の静岡県)にある兵衛佐《ひょうえのすけ》(頼朝)に申し合はせて、剃れと言はば剃らん……」と答えているので、この時点では知っていたことになる。

一方、『義経記《ぎけいき》』では、義経にその出自を明かし、武門としての自覚を促《うなが》した重要な役割を担《にな》う人物として、少進坊《しょうしんぼう》が登場する。少進坊は義朝の忠臣・鎌田正清《まさきよ》（政家《まさいえ》とも）の子である。旧主と父の仇を討つために義経に接近してくる。その際に、諸国に身を潜《ひそ》める源氏一族の名を列挙しているので、少なくとも少進坊は諸国の源氏、および義経の兄・頼朝の存在を把握している。少進坊による教唆《きょうさ》のなかで、義経は兄・頼朝の存在を確信したことだろう。

さて、兄の頼朝も、義経の存在を把握していたのだろうか。読み本系『平家物語』によれば、頼朝の挙兵に際して奥州から駆けつけた義経と対面した頼朝が、「この二十有余年、名前は聞いていたが顔を見たことがなかったので何とかして会いたかった」と述べている。『義経記』では同じ場面で、幼いときに会ったきりだと頼朝が語っている。また、『吾妻《あずま》鏡《かがみ》』が記す兄弟対面の記事には、謁見《えっけん》を望んでいる若武者の年恰好《かっこう》から、頼朝みずからが、奥州の九郎ではないか、と認識して招き入れている。頼朝が義経の存在を把握していたと考えて間違いないだろう。

さらに『平治物語』には、鞍馬を脱出した義経が、奥州へ下る途中に伊豆に立ち寄り頼朝と対面すると、頼朝は義経に奥州で頼るべき人物を指示し、書状を与えて奥州へ下らせる、といったエピソードを載せる本がある。いずれにしても、裏づけられる史料はなく、伝承のバリエーションのひとつと考えておきたい。

ただし、軍記物語などにみられる、一族の名を並べ立てる「揃《そろ》え」のように、同族の情勢は常に把握され、その情報は共有されていたことは間違いない。また、鞍馬を脱した義経が、東国を通過する際に、頼朝の情勢は念頭にあっただろうし、直接の面会はなくとも、東国には源氏に心を寄せる者たちがあっただろうから、そうした者たちを介《かい》して、なにがしかの連絡を取り合っていたと推測される。

13 義経の奥州行きをひそかに画策した人物とは？

『義経記』によれば、金売吉次《かねうりきちじ》から奥州の事情を聞き出した義経（当時遮那王）は、吉次の語る奥州世界に驚嘆《きょうたん》し、平家打倒の夢をふくらませていく。奥州の藤原秀衡《ひでひら》が抱《かか》える十八万の軍勢の一部を率いて東国に討って出て、頼朝・義仲とで三大勢力を作りあげ、東日本の軍勢をまとめあげながら、源氏再興を果たすのだと……。しかし、幼時に親や一門と離れてしまっている義経には、地盤とすべき土地も勢力もない。何よりも再興の基盤が欲しかったのである。

義経と金売吉次とが出会ったのは、承安《しょうあん》四年（一一七四）ごろとされるが、当時は平治の乱に勝利した平家一門が日本の大半を制圧し、源氏は支配するところもないような状況であった。

兄の頼朝は伊豆（現在の静岡県）にあり、源氏嫡流のひとりとして心を寄せる東国武士もいただろうが、やはり流罪人《るざいにん》として監視下にあった。義仲は信濃《しなの》国木曽（現在の長野県木曽地方）に地盤があるといっても、旧主の形見としてその素性を隠して養育していた中《なか》原兼遠《はらかねとお》の庇護《ひご》に頼っている状況だった。以仁王《もちひとおう》に謀反を持ちかけた源頼政《よりまさ》は、諸国の源氏の不遇《ふぐう》を嘆《なげ》いている。

こうした状況下でみずからの地盤を築いていくには、何よりも平家の権力がおよばない遠隔地へ離れることが必要だった。西日本には平家の本拠がある。そのため義経は東日本で、平家の圧力に屈せず、源氏の末裔《まつえい》をひそかに支援してくれるような豪族を探していたはず。当然、前九年・後三年の役以来、源氏と縁のある奥州の地は、有力な候補地であっただろうから、『義経記』に見られるような、義経から吉次への積極的なアプローチも容易に推察できる。

ただ、出家の日取りも決まり焦燥《しょうそう》のなかにある義経のもとに、たまたま得体《えたい》の知れない行商人が現われ、彼の語る奥州世界に大望を抱いて鞍馬寺を脱出したなどというのも、やはりドラマティックすぎる。義経と奥州を結ぶ実際的なルートを考えてみたい。

義経の母・常盤は、平治の乱後、一条大蔵卿《おおくらきょう》・藤原長成《ながなり》に再嫁している。義経が鞍馬寺へ入ったのも、継父・長成の仲介によるものであったことが『吾妻鏡』に記されている。そしてこの長成の一族には、鎮守府将軍・藤原基成《もとなり》がいる。この藤原基成は康治《こうじ》二年（一一四三）に鎮守府将軍に任ぜられて奥州へ下り、辞任後も奥州にとどまり、娘を藤原秀衡に嫁がせて強大な権力を誇った。この基成へ、長成が継子・義経の処遇を持ちかけた可能性も否定できない。

義経の奥州入り後まもなく、平家打倒を企《くわだ》てた鹿《しし》ケ谷《がたに》事件が起こっていることなどから、平家政権に対する不満の高まりとそれに対する締めつけも厳しくなってきていたことが推測される。平家にとって義朝の子・義経は、たとえ元服前であっても危険分子の筆頭だ。そんな世情を察した母・常盤の、我が子を案ずる思いから、長成、基成へと、導かれるように奥州へと結びついていった、と考えるのも、あながち見当違いではない。

14 義経をサポートした藤原秀衡の本当の狙いは？

『義経記』によれば、藤原秀衡は平家一門の全国支配に対抗するために、源氏一門の義経を迎え入れ、金売吉次に連れられて奥州入りした義経を手厚くもてなしたと記す。しかし、『平治物語』では、義経を迎えた秀衡は、平家の思惑を気にかけ、むしろ迷惑そうな態度を示したとしている。

こうした、秀衡の態度や心境を両極に解釈しうるということは、つまりこの源氏の公達《きんだち》の奥州入りが、のちのち京都と奥州とそして鎌倉とのあいだに大きな影響を与える、それだけ微妙な意味をもつことがらであったことを表わしているといえる。

義経が奥州入りしたのは、承安四年（一一七四）ごろとされているが、これに先立つ嘉《か》応《おう》二年（一一七〇）五月、秀衡は鎮守府将軍に任ぜられる。鎮守府将軍とは陸奥《むつ》国（東北地方）で蝦夷《えぞ》経営にあたる律令軍政機関の長である。

祖父・清衡《きよひら》、父・基衡《もとひら》と、奥州における勢力拡大・安定に尽力してきた藤原氏。その三代目として、繁栄の絶頂期を迎え、名実ともに中央律令政権から独立した政権として公認された形となった。奥州政権として公認されること、これは奥州藤原氏が懇望《こんもう》してきたことであった。

しかし、それは同時に、中央政権つまり強大な勢力を誇る平家政権に介入されることにもなる。平家政権に対する全国的な不満の高まりは、秀衡も察知していただろう。不満を募《つの》らせているのは、当然のことながら源氏を中心とした勢力である。そうした世情のなか、中央（平家）政権に懐柔《かいじゅう》されるということは、全国——当面は東国——の源氏と対立することと同じ意味をもつ。東国のさらに奥の地で、中央から認められるということは、その間に広がる東国との関係を断ち切ることだったかもしれない。

このように考えると、源氏の御曹司・義経を後見することの意味は大きくなってくる。中央政権に公認されたいま、源氏からの風当たりを避けるための義経のサポート。しかも当の義経が自分にそれを求めている。

「道の奥」と称される奥州の地にあって、中央と東国とににらみをきかす。そんな秀衡の狙いは、そもそも金売吉次という謎の人物の暗躍にもうかがえる。偶然のようにみえる吉次の鞍馬訪問の背景にも、実は優れた政治的バランス感覚をもつ秀衡の深謀《しんぼう》があったとも考えられるのだ。

15 秀衡はなぜ全軍の44%も義経に与えようとしたのか？

義経の奥州での暮らしぶりを書きとどめた史料はなく、『義経記』などの物語の類《たぐい》から想像する以外に手だてはない。ただ、義経が平家を討ち滅ぼしたあと、頼朝に疎《うと》まれて鎌倉へ入れてもらえなくなってしまったときに提出した「腰越状《こしごえじょう》」に、義経が奥州時代を振り返った言葉がわずかに記されている。

「諸国を放浪し、あちこちに身を隠し、片田舎や遠い地方を住処として、その土地の人々に奉仕されてきました」

隠れ住んだとしても源氏の正統、義経に奉仕した人物は少なくなかっただろう。そして、そのひとりが奥州の藤原秀衡なのである。

『義経記』によると、まず奥州入りした義経への歓待ぶりが甚《はなは》だしい。秀衡は陸奥・出羽《でわ》両国の大名から三百六十人を選んで毎日もてなし、警護することを約束。贈り物として奥州十八万騎のうち、十万騎は二人の子息に譲るが、残る八万騎を義経に分け与え、名馬の産地として名高い奥州のなかでもひときわ名馬を産する牧場から屈強の馬三百匹を与えようという。その馬は、大の男が重い鎧を着て一日二百里（八〇〇キロ）を駆け抜けても、乗り手が上手ならば鞍の下に汗ひとつかかない名馬たちであった。

これを物語的なまったくの虚構《きょこう》と一蹴《いっしゅう》してしまうのは少々惜しい。その物語の要素にはいかにも説得力があるからだ。

初対面の瞬間からそうだったとは思われないが、秀衡は義経を間近で見ているうちに、武将としての素質にすっかり惚れこんでいったにちがいない。そもそも血筋としては申し分ないのである。子息ひとりあたりに与えるより多い軍勢を分け与えようと思うようになったとしても不思議はない。

また、奥州は古くから良馬を産する土地だ。そして、「乗り手が上手ならば」という条件で才能を発揮する選《え》りすぐりの馬を与えている。義経の馬術の上達を期待するものであり、おそらく義経もその期待にこたえ、奥州の原野でその技を磨いたことだろう。義経の馬術がきわめて優れていたことは、その後の「一ノ谷の合戦」や「屋島の合戦」の活躍にはっきりと表われている。

義経は奥州藤原氏のもとで、馬術に磨きをかけながら不自由のない平穏な暮らしをしていたと考えていい。ただし『義経記』によると、史実としては奥州にとどまっているこの六年間に、義経は再び上洛し、鬼一法眼《きいちほうげん》から兵法を学び取り、また清水寺で武蔵坊弁慶を家来にしたということになっている。

16 意外！ 義経の兄・頼朝挙兵への参戦に秀衡は反対していた

『義経記』によれば、義経が頼朝挙兵に参加しようとするのを、秀衡は今まで思い立たなかったほうがおかしいと述べて、義経に大軍を与えようとする。義経は大軍を仕立てているうちに機を失してしまうと、それを辞するが、それでも秀衡は三百騎の軍勢を義経に与えている。手厚いはなむけと見てよいだろう。ところが、史料によると、秀衡は義経を無条件に支援していたわけでもなさそうなのだ。

『吾妻鏡』では、黄瀬川《きせがわ》で兄の頼朝と対面する場面で義経は次のように述べている。
「義経が奥州を発ち、頼朝のもとへ駆けつけようとすると、秀衡はしきりに引きとめた。それでも義経はひそかに逃げ出すように出発すると、秀衡は引きとめるすべを失い、部下として佐藤継信《つぐのぶ》・忠信《ただのぶ》兄弟の勇士をつけてくれた」
という。秀衡は義経が兄・頼朝の挙兵に参戦することに賛同してはいなかった。

嘉応二年（一一七〇）に鎮守府将軍に任ぜられた秀衡は、京都と鎌倉とのあいだで微妙な立場にあった。京都の平家を一掃したい鎌倉の源氏は、背後にある奥州の力を恐れ、一方で京都の平家は奥州と結んで東国を挟撃《きょうげき》したいと考えていた。

しかし、おそらく奥州は、どちらとも与《くみ》したくはなかっただろう。秀衡は奥州の自治権と、藤原三代が築いてきた文化が守られればそれでよかった。中央から鎮守府将軍という公認を受け、鎌倉方へは義経を庇護《ひご》することで中立の立場を表明する。そのためには、義経を奥州にとどめておきたかっただろうと考えられる。義経を奥州に迎えて約六年、義経の血筋は折り紙つきだし、武将としての能力も、秀衡は見抜いていたにちがいない。

はたして義経が奥州を去った翌年、情勢が動きはじめる。養和《ようわ》元年（一一八一）、秀衡は陸奥守に任じられる。これは平家からのあからさまな懐柔策であった。しかし、秀衡は中立を保ちつづけた。

元暦《げんりゃく》二年（一一八五）、源氏は背後に奥州からの牽制《けんせい》を感じながらも、義経の天才的な戦闘指揮能力によって、壇ノ浦に平家を滅ぼす。そして平家追討を果たした源氏の視線は、しだいに奥州へ向けられることになる。

ここで、秀衡にとっては幸運にも、というべきか、平家追討の立役者義経が兄・頼朝に疎《うと》まれてしまい、再び秀衡の庇護を求めてきた。平家が滅びたいま、頼朝に追われる義経の存在はこれまでとは別の意義をもつこととなる。鎌倉との対決はいずれにせよ避けられないと踏んだ秀衡は、軍事的能力に血統をも兼ね備えた義経を権力の中心に据え、関東と拮抗《きっこう》する体制を奥州に構築することを考えた。その思惑が彼の遺言に明確に表われている。『吾妻鏡』によれば、秀衡は義経に国務を執《と》らせるように嫡子の泰衡《やすひら》に命じている。類似した記事は、鎌倉時代の公家・九条兼実《くじょうかねざね》の日記『玉葉《ぎょくよう》』(文治《ぶんじ》四年〈一一八八〉一月九日）にも見出すことができ、秀衡が自身亡きあと、義経に奥州を託そうとしていたことは事実である。

この構想がいつのころから秀衡の頭のなかにあったのか。兄のもとへ駆けつけようとする義経を引き留めようとしたあの日に、おぼろげながらもすでに描いていた壮大な構想だったのかもしれない。

17 義経軍三百騎、奥州から黄瀬川(静岡県)へのルートは？

兄・頼朝の挙兵に駆けつけるべく、とりあえず秀衡から三百余騎の軍勢を与えられて、義経は兄のもとをめざす。『義経記』によれば、そこには武蔵坊弁慶、常陸坊海尊《ひたちぼうかいそん》、伊勢三郎、佐藤三郎継信・四郎忠信兄弟といった、義経腹心《ふくしん》の部下たちが名を連《つら》ねている。義経一行が、馬の腹筋が切れるのも、脛《すね》がくじけるのもかまわず全速力で駆け抜けていったというルートを、図(52ページ)とともに『義経記』によってたどってみよう。

平泉をあとにした義経一行は、①阿津賀志《あつかし》の中山(現在の福島県国見町の国見山)、②安達《あだち》の関所(現在の福島県二本松市付近にあった関所)、③行方《ゆきかた》の原(現在の福島県矢吹町の付近にあった野原)、④白河の関(現在の福島県白河市旗宿に遺跡あり)、⑤那須野の原(現在の栃木県北部の原野、那須岳の裾野)と進む。

この旅は、よほどの強行軍だったらしく、義経が那須野の原で後続を確認した時点で、あるいは馬の蹄《ひづめ》を欠き、あるいは脛をくじいて落伍する者が出て、半分の百五十騎になっていたという。それでも義経は、「たとえ百騎が十騎になっても、馬を駆けさせよ」と厳命して兄のもとへ急いでいる。

さらに、⑥喜連川《きつれがわ》を渡って下橋の宿（現在の栃木県河内町）で馬を休め、⑦鬼怒川《きぬがわ》を渡って宇都宮大明神（現在の栃木県宇都宮市・二荒山神社）に参詣、⑧隅田川（利根川）を渡って武蔵《むさし》国足立郡川口（現在の埼玉県川口市）にたどり着くころには、義経の軍勢は八十五騎になっていた。

しかし、義経は行軍を休めない。⑨小板橋（現在の東京都板橋区）、⑩武蔵国国府、六所庁（現在の東京都府中市・大国魂神社）、⑪平塚（現在の神奈川県平塚市）、⑫さから浜（神奈川県小田原市を流れる酒匂川河口の浜か）、⑬足柄山・箱根山を越えて伊豆国国府（現在の静岡県三島市）と、兄・頼朝の軍勢のあとを追いながら、⑭浮島ヶ原（現在の静岡県沼津市原町と富士市の鈴川の間の湿地帯）、頼朝軍の手前三町ほどのところまで追いつき、そこに陣をかまえ、息を休めて、頼朝との対面に備えている。

物語としての誇張《こちょう》を考えるにしても、この長駆《ちょうく》には驚嘆させられる。物語に宿泊を示す記述はないので一日の長駆と読めないこともないが、時間的に不可能だろう。とくに小板橋以降は、頼朝の軍勢を二日遅れ、一日遅れで追いかけたとあるので、それなりの日数と時間がかかったはずだ。ただし、もともと良馬の産地として名高い奥州の屈強な馬たちも、蹄《ひづめ》を欠き、脛《すね》をくじくほどの強行軍だったということは認めてよい。

ちなみに、義経の愛馬「大夫黒《たいふぐろ》」は、この参陣に際して藤原秀衡から贈られたもので、岩手県千厩町《せんまやちょう》産といわれている。のちに「鵯越《ひよどりごえ》の逆落《さかお》とし」の軍功も、この名馬と、おそらくは奥州の生活のなかで身につけた義経の優れた馬術に負うところが大きい。

18 義経と頼朝の黄瀬川での兄弟対面は事実か?

治承《じしょう》四年(一一八〇)十月二十一日、頼朝の軍勢が、富士川で平家軍に勝利した翌日のことである。富士川の合戦は、平家軍が水鳥の羽音に驚いて戦わずして敗走した戦《いくさ》だ。頼朝は、それに乗じて平家軍の討伐を命じたかったようだが、当時、常陸《ひたち》国(現在の茨城県)

の佐竹氏がいまだ頼朝に帰服《きふく》しておらず、平家を深追いして背後を衝《つ》かれることを恐れた千葉常胤《ちばつねたね》らが進言して、黄瀬川宿（静岡県清水町）まで引き上げてきたところであった。

『吾妻鏡』の記事によれば、頼朝の滞在する館に、ひとりの若侍が現われ、頼朝への謁見を望んでいる。土肥実平《といさねひら》、土屋宗遠《つちやむねとお》、岡崎義実《おかざきよしざね》らの御家人は、それが頼朝の弟・義経であることを知るはずもなく、不審に思っていると頼朝みずからがこのことを聞いて、

「年恰好から察するに、奥州にいるはずの九郎義経ではないか」

と招き入れる。はたしてその若侍は弟・義経であり、兄弟は互いに昔を語り合って懐旧《かいきゅう》の涙を流した、という。義経は当時二十二歳であった。

実は、源義経が史料に記されるのは、この『吾妻鏡』が初めてである。そして、『吾妻鏡』が一般的に鎌倉時代の正史と位置づけられるということで、兄弟の対面は史実と見ていい。また、のちに頼朝の代官として平家討伐に派遣されるわけだから、どこかの時点で兄弟対面を果たしているはずだ。それが、いつ、どこで果たされたか――。

文学の世界に目を転じてみると、兄弟対面の場面はいくつかのバリエーションをもって描かれている。『平家物語』諸本のうち、読み本系の「延慶本《えんぎょうぼん》」と「長門本《ながとぼん》」とは、合戦直前の富士川であるとし、頼朝軍が富士川の東岸で大軍に膨《ふく》れあがっていくその一部に義経の参軍を位置づけている。『平家物語』の読み本系異本である『源平闘諍録《げんぺいとうじょうろく》』や『源平盛《げんぺいじょう》

頼朝と義経が再会した黄瀬川の対面石（静岡県清水町）

衰記《すいき》』などは、合戦後の浮島ヶ原で対面を遂げている。同じく異本のひとつ〈四《し》部《ぶ》合戦状《かっせんじょう》本《ほん》〉では、地名を明らかにしていないが合戦後とする。

『義経記』では合戦直前の浮島ヶ原と読めるし、『平治物語』では同じく合戦直前の大庭野とする。いずれにしても、富士川の合戦の前後、頼朝軍の陣頭で兄弟の対面は果たされたというのが通説となっていたといっていい。

ところで頼朝は、本当に『吾妻鏡』が記すように「懐旧の涙を流した」のだろうか。わずかな手勢とともに長駆して参じた義経が感《かん》涙《るい》を催《もよお》すのはともかく、頼朝は大軍を擁《よう》してその威風だけでまずは平家軍を退却させ、北への備えのために鎌倉へ戻ろうとしているところであった。その際に奥州から突然やってきたこの若侍を、頼朝はどのような思いで受け止めただろうか。たとえ涙を流し合ったとしても、このときが最初で最後だったのではないだろうか。

19 義経の悲劇の発端といわれる「大工の曳き馬事件」とは？

『吾妻鏡』治承五年（養和元＝一一八一）七月二十日条（記事）に以下の「大工の曳き馬事件」の話が書かれている。

頼朝にとって鶴岡若宮《つるがおかわかみや》の造営は、宗教的・政治的に非常に大切な仕事であった。工匠《たくみ》をわざわざ武蔵国浅草（東京都台東区浅草）から招いて造作にあたらせているあたりに、その意気ごみがうかがえる。

そして迎えた上棟式《じょうとうしき》には頼朝のための仮屋が設けられ、御家人たちがずらりと居並んでいる。大工に褒美《ほうび》として馬が与えられることとなり、その馬を曳く役目が、義経に命じられたのだ。

黄瀬川での再会以来、頼朝を兄として親しく感じていた義経にとって、そのようなほかの御家人たちと同じ役目を命じられたことは心外だったにちがいない。しかし、口実を設けて断った義経に対する頼朝の対応は、想像を超えて厳しいものだった。

頼朝は、「大工に与える馬を曳く役目を卑《いや》しいとして拒否するのか」と激しく叱責《しっせき》したのである。義経は「頗《すこぶ》る恐怖」したとあるから、それは叱責というよりも威嚇《いかく》、恫喝《どうかつ》に近いものだったのだろう。そして義経は、ほかの御家人たちとともに褒美の馬を曳いたのである。義経が抱いていた、兄への淡い親近感や甘えは、多くの御家人の面前で、彼らと同列に扱われるということによって、もろくも打ち砕かれることとなった。

この出来事は、身内といえども特別扱いをしないという、頼朝の政治家としての厳正な姿勢と解《かい》されるが、それだけだろうか。事件の前年、富士川の合戦に大勝した頼朝は、平家を追撃せず、鎌倉へ戻って東国の新政権の基盤固めにとりかかっている。常陸国《ひたち》（現在の茨城県）の抵抗勢力、佐竹氏を討ち、頼朝の勢力圏は、いよいよ十八万騎を擁するともいわれる奥州と接することとなった。

東国と奥州との関係が緊張を増すなか、同年十一月には、東海、東北、北陸三道に頼朝追討の命令が下り、『玉葉』十二月三日の記事には、秀衡が頼朝追討を承知したという風聞《ふうぶん》が記されている。同書からはその後も、秀衡の軍勢が白河関まで南下したらしいなど、奥州の動静が京都で取り沙汰《ざた》されていることがわかる。当然鎌倉においても、秀衡の動静は脅威以外のなにものでもない。

この状況下、頼朝にとって、六年間という長い歳月を秀衡のもとで庇護されてきた義経は、たとえ兄弟といえども気を許せなかったのではないだろうか。義経としては肉親という特別扱いを無邪気に期待していたとしても、頼朝はその背後に秀衡の存在を勘ぐってしまう、そして義経の言動にはたとえ公的な場にあっても、つい過剰に反応してしまう。

そんな頼朝の心中を察すると、この「大工の曳き馬事件」は、頼朝と義経との意識のズレが表面化した、最初の事件とも捉《とら》えることができる。涙の兄弟対面から、わずか九カ月後のことであった。

20 兄弟対面から三年、義経の初陣「宇治川の戦い」までの裏事情

義経の初陣は、寿永《じゅえい》三年（一一八四）一月二十日の宇治川合戦とされている。

治承四年（一一八〇）十月に、黄瀬川宿（静岡県清水町）で兄・頼朝と対面し、その軍勢に加わった義経であったが、その後しばらくは『吾妻鏡』にその名が記録されることはない。『平家物語』のある種の本が伝えるように、兄弟対面が富士川合戦前であるならば、義経の初陣は富士川合戦といえるかもしれない。『義経記』などは、「軍の手合わせ（最初の合戦）」として富士川合戦をあげるが、そもそもこの合戦は戦わずして勝利した合戦であるから、やはり義経の初陣は宇治川合戦まで待たねばならない。

『吾妻鏡』によれば、兄弟の対面を果たして鎌倉へ戻った頼朝は、常陸国《ひたち》（現在の茨城県）の佐竹氏を攻めるが、その軍勢のなかに義経はいない。佐竹氏はその北方で奥州とつながっている。奥州から参じた義経がいまだ信用できる存在でなかったことがうかがえる。佐竹征伐における熊谷直実《くまがいなおざね》や平山季重《ひらやますえしげ》の活躍に、義経は悔し涙をのんだに違いない。翌治承五年（養和元＝一一八一）閏《うるう》二月四日、平清盛が死去。七月には例の「大工の曳き馬事件」があり、義経は焦燥《しょうそう》のなかにいた。

同年十一月五日、義経に出陣のときがきた。平維盛《これもり》を大将とする平家軍が東国へ攻め下るという急報が入ったからである。足利義兼《あしかがよしかね》、土肥実平《どひさねひら》、土屋宗遠、和田義盛《わだよしもり》などとともに、義経は平家軍迎撃のために遠江国《とおとうみ》（現在の静岡県）に出陣しようとした。しかし、近江国（現在の滋賀県）の情勢に詳しい佐々木秀能《ささきひでよし》が、維盛の進軍は急ではないこと、また尾張国（現在の愛知県）に陣を張る源行家《ゆきいえ》が、ひとまず防戦するから急ぐことはないと進言して、義経の初陣となるはずの出兵は中止となってしまった。

養和二年（寿永元＝一一八二）四月、頼朝は江ノ島を参詣し、奥州の藤原秀衡の調伏《ちょうぶく》を行なっている。これは、前年八月、陸奥守に任ぜられた秀衡が頼朝追討命令を了承していたことによるもので、足利、北条、畠山、佐々木、和田など、名だたる重臣たちが参列しているが、そこに義経はいない。これは義経が参加を拒んだものか、それとも頼朝に召集されなかったものか。いずれにせよ義経は、早く合戦の場で軍功を挙げ、兄の信頼を得たいと願っていたことだろう。

翌寿永二年は、北陸道から京都をめざした木曽義仲が活躍する年である。快進撃で入洛した義仲であったが、洛中で軍の統制がとれずに人心を失い、ついに京都は頼朝の救援を求めるようになった。

この年は『吾妻鏡』の記事を欠くが、九条兼実の日記『玉葉』によれば、義経は、この年閏十月中には東海道を伊勢国（現在の三重県）まで上ってきている。それは義仲追討軍としてではなく、頼朝の使者としてのようだ。そして十一、十二月と、近江国に駐屯《ちゅうとん》して義仲の動静を鎌倉へ報告していたとみられる。兼実は、義経の軍勢はわずか千余騎であったと記している。

義仲の横暴は法住寺《ほうじゅうじ》合戦で爆発し、寿永三年一月、ついに頼朝は義仲追討の大軍を派遣する。『玉葉』の記事とすり合わせてみると、上洛する範頼の大軍に、義経が伊勢・近江のあたりから合流したものと考えられる。そして搦手《からめて》の大将を命じられた義経は、宇治を守る志太義広《しだよしひろ》を撃破して入京。義仲に先んじて六条の法皇御所を警護した。拠《よ》りどころを失った義仲は同日、近江国粟津《あわつ》（滋賀県大津市）で敗死。兄弟対面から、実に三年余、義経はその初陣を勝利で飾ったのである。

21 義経は源氏一門どうしの争いに疑問を感じなかったのか？

義経は父・義朝の仇敵《きゅうてき》、平家打倒のために鞍馬を飛び出し、奥州に下り、そして兄の挙兵を知って駆けつけた。そんな義経の素直すぎる思いは、兄・頼朝の深遠《しんえん》な謀《はかりごと》とは、確実に温度差があったと思われる。

兄の陣頭に駆けつけた際には、たしかに懐旧の涙も流しただろう。しかし義経は、自分の身が奥州と東国との関わりのなかにあることまでは考えていなかった。義経からしてみれば、

「なぜ兄は自分を信用してくれないのか、軍勢を分け与えて平家軍と戦わせてくれないのか、平家討滅への思いは人一倍強いのに」

くらいに思っていたことだろう。そして結局、義経の初陣は、一門——従兄弟《いとこ》にあたる——の木曽義仲を討ち滅ぼすことによって飾られる、という皮肉な結果になった。

記録類はもちろん義経の心中などを書き留めるものはなく、『平家物語』などの書物においても、義経は頼朝の代官として忠実に動いているように描かれている。そのため想像の域を脱しえないが、義経の思う一門のあり方と、頼朝の考える一門とは、多少のズレが

あったとは考えられる。それでも義経は、主君頼朝の命令と割り切ったか。そもそもそれが軍律というものか——。

『義経記』において義経は、奥州で力を蓄《たくわ》えたあと、東国に討って出て、頼朝・義仲とで三大勢力を作りあげ、東日本の軍勢をまとめあげながら源氏再興を果たすのだ、と語って奥州下りを決めている。また、再び上洛して弁慶を家来として迎えたあと、奥州へ下るその途中にわざわざ木曽義仲のもとを訪れ、

「東国北国の軍兵を召集してくれれば、義経も奥州から駆けつける。木曽（長野県木曽地方）と、伊豆（静岡県伊豆半島）はほど近いから頼朝とも連絡をとってほしい。そしてともに平家討滅の本意を遂げよう」

と、義仲に語っている。つまり、義経——『義経記』のなかの義経——が抱いている望みは、平家打倒に尽きる。そのためには諸国の源氏が一丸となって戦うべきであるし、そうありたいと願っているのだ。

しかし、兄・頼朝はさらにその先を見据えていたにちがいない。義経のいう三大勢力も魅力的だし、おそらくは圧倒的な強さを誇る軍勢を組織できただろう。しかし、その勢力をもって平家を滅亡に追いやったあと、その三大勢力がどうなるか。頼朝には、一門どうしによる醜《みにく》い覇権争いが見えていたのかもしれない。義経と頼朝の思惑のズレは、その見

据えている場所の相違から生じるものであった。

義仲はたしかに武将として優秀であった。破竹《はちく》の勢いで北陸道を攻め上り、平家を都から追い落とすことに成功した源氏の一番手であった。しかし、京都におけるいわゆる戦後処理がうまくいかず、京都の人々は疲弊《ひへい》し、窮状《きゅうじょう》を訴えるようになった。

頼朝の使者として京都近くまで上っていた義経は、その実情を知っていたため、義仲追討の命令もあるいは致し方ないと了解したかもしれない。そして同時に、義仲の不覚を歯がゆく感じたことであろう。次は我が身とも知らず、義仲の二の舞は踏むまいと思ったにちがいない。

そもそも、鎌倉を離れずに義仲の快進撃を静観していた頼朝が、義仲の失脚を待っていたのだとしたら……。義経の抱く疑問など、頼朝の深謀とは比べものにもならないものであったかのもしれない。

22　名高い「宇治川の先陣争い」の真相とは？

寿永三年（一一八四）一月二十日、木曽義仲追討の命を受け、義経軍は宇治川を挟んで義仲軍と対峙した。義仲軍は宇治橋の橋板を取り払い、岸辺には楯を突き、川中には乱杭《らんぐい》や大綱を設けてあるうえに、折しも雪解け水で水かさが増し、義経軍は容易に渡ることもできない。

義経が士気を試そうと「迂回《うかい》すべきか」と諮《はか》ったところ、畠山重忠《はたけやましげただ》が、瀬踏みをして先導しようと号令をかけた。そのとき磨墨《するすみ》に乗った梶原景季《かじわらかげすえ》と、池月《いけづき》（生涙）に乗った佐々《さ さ》木高綱《きたかつな》が、川端へ進み出た。いずれも頼朝から与えられた名馬にまたがり、先陣の高名を争う若武者である。

景季にやや遅れをとった高綱は、「馬の腹帯《はるび》がゆるんでいるようだから締め直せ」と声をかけ、景季が馬を止めて腹帯を締め直している隙に、さっと駆け抜けて川へ馬を乗り入れた。謀られたことに気づいた景季は、「水中に大綱が張ってあるぞ、不覚をするな」と声をかけながら、すぐあとを追う。景季の乗る磨墨は、やや下流に流されてしまったが、高綱の池月は、宇治川の流れをものともせず、一文字に渡りきり、宇治川の先陣の名乗りをあげた――。

これが『平家物語』の名場面のひとつ、宇治川の先陣争いのあらましである。中世の武士のようすを活写したこのエピソードは、広く人々に知られているが、実は『吾妻鏡』や『玉葉』などの史料で裏づけることができない。また、佐々木高綱については、同年十二月の藤戸の合戦において類似した状況下で戦功を挙げた――頼朝から下賜《かし》された馬に乗って海

宇治川の中洲にある先陣争いの碑（京都府宇治市）

を馳せ通した――ことが『吾妻鏡』にみられ、また同書には、承久《じょうきゅう》三年（一二二一）に起こった承久の乱に際して、高綱の甥にあたる信綱《のぶつな》が同じく宇治川で先陣争いをした記事がある（『承久記』にもみられる）ことから、この高綱と景季の先陣争いを、承久の乱のときの信綱先陣を移入して創作したとする見方すらあった。

しかし、京都大原三千院所蔵の『拾珠抄《しゅうじゅしょう》』に収められている佐々木頼綱《よりつな》百箇日《ひゃくかにち》追善《ついぜん》の願文に、高綱の宇治川渡河《とか》の話が載っており、事実であることが認められた。その願文によれば、高綱は義仲追討に際して兄・定綱《さだつな》から「面影《おもかげ》」という太刀を譲られていて、その太刀で川中の大綱を切って無事に宇治川を渡り先陣を遂げたという。景季との先陣争いはともかく、高綱の宇治川渡河は虚構として退けることはできないのだ。

景季との先陣争いは、これに先立って語られている名馬下賜の逸話と合わせて考えなければならない。頼朝は、景季が「池月」を所望したにもかかわらず、景季には「磨墨」を、高綱には「池月」を与えた。そんな二人の若武者のライバル意識が多分に虚構、物語化されている。しかしそうだとしても、中世の武士たちが、主君とどのようにして結びついていたかを物語る逸話である。

義経の初陣、宇治川合戦で勲功をあげた高綱が乗っていた「池月（生涙）」という名馬は、『平家物語』によると、憎いと思った者を生きたまま喰ったからこの名がついたとか、奥州にあるという「能ノ池」と「大地獄」という池で、この馬に乗って泳がせて魚を網でとったからだなどの説が見える。日本の各地にこの馬の産地としての伝承が残るが、『平家物語』の時代には、奥州産の名馬という伝承が一般的であったようだ。

第3章

平家滅亡に追いこんだ義経、怒濤の快進撃の謎

23 義経が乗っていた「名馬」の驚くべき実態

義経はいったい、どんな馬に乗っていたのだろう。

まずは歴史家の川合康氏が作成された左の表をみてもらいたい。

この表に挙げられているのは、いずれも名馬として知られる馬たちである。ところがその体高といえば、一四〇センチ前後とかなり小さい。名馬といわれる馬でさえ、この大きさだ。当時の実際の馬の大きさはというと、さらにこれより小さかった。

昭和二十八年（一九五三）、神奈川県鎌倉市材木座《ざいもくざ》の海岸から元弘《げんこう》三年（一三三三）五月の新田義貞《にったよしさだ》の鎌倉攻めの際のものと推察される五五六体の人骨と、馬の骨一二八本が発見された。この調査に参加した林田重幸氏が、四肢骨《ししこつ》（手足の骨）の最大長から当時の馬の推定体高を算出すると、一〇九〜一四〇センチで、平均すると一二九・五センチほどであったという。現在の競走馬（サラブレッド）の体高が、およそ一六〇〜一六五センチであることを考えれば、今でいうポニー程度の大きさしかない。

義経の体重がどれほどであったかはわからないが、一説にはかなり小柄《こがら》であったというから仮に五〇キロだったとしよう。これに大鎧や鞍《くら》の重さ（約四五キロ）を加えた重量が

源平争乱時を代表する名馬

所有者	馬名(呼び名)	体高	現在表示
源 義経	青海波(せいがいは)	7寸	約142cm
〃	大夫黒(たいふぐろ)	6寸	約139cm
源 範頼	月輪(つきのわ)	7寸2分	約143cm
和田義盛	白浪(しらなみ)	7寸5分	約144cm
畠山重忠	秩父鹿毛(ちちぶかげ)	7寸8分	約145cm
佐奈田与一	夕顔(ゆうがお)	7寸余	約142cm
佐々木高綱	生潟(いけづき)	8寸	約145cm
平山季重	目糟毛(めかすげ)	7寸余	約142cm

(川合康『源平合戦の虚像を剥ぐ』より)

つねに馬にかかるわけだから、当然スピーディに戦場を駆けめぐるなどということは夢のまた夢。馬の動きはかなり緩慢《かんまん》であったことが予想される。

実際、一の谷に陣を構える平家を討つために、義経が京都を出発して鵯越《ひよどりごえ》に至るまで、『平家物語』によれば三昼夜かかっているが、京都から鵯越までの距離はおよそ一〇〇キロ。もちろん一日じゅう馬を走らせるわけではないから、仮に一日八時間走らせたとしても、時速はわずか四キロ。これでは徒歩と変わらない。

あの義経がポニーに乗って戦っていた!? 想像するだけでもおかしい。カッコ悪〜い。しかし、そういってみたところで、これが現実なのである。

24 義経の「鵯越《ひよどりごえ》の逆落《さかお》とし」の意外な真相とは？

北側を険《けわ》しい山々に囲まれ、南側には海が広がる天然の要塞《ようさい》で、まさに難攻不落《なんこうふらく》の土地といわれた「一の谷」に陣をかまえる平家。これを討つべく、源氏の大軍は二手に分かれて京を出発した。

大手の大将軍は源範頼《のりより》で、海沿いの道から迫《せま》り、義経を大将軍とする搦手《からめて》は丹波路《たんばじ》をとって、背後の山から迫った。

途中、播磨《はりま》（現在の兵庫県）と丹波（現在の京都府）の国境にある三草山《みくさやま》では、民家に火を放って夜討ちをしかけ、寝こみを襲われた平資盛《すけもり》軍は一挙に壊滅《かいめつ》する。

義経はここでさらに軍を土肥実平《どひさねひら》に率いさせる七千騎と、義経みずからが率いる三千騎に二分して、実平にはそのまま須磨《すま》口へと向かわせ、義経は鵯越へと向かう。

「よし、まずはここから馬を落としてみよう」

鵯越の山上に集結して奇襲攻撃のチャンスをうかがっていた義経は、そういって鞍を置いた馬を何頭か追い落としてみた。足を折って、転んで落ちて死ぬ馬もあったが、無事に下りていく馬もあった。そのうちの馬三頭が越中前司《えっちゅうのぜんじ》の屋形の前に身震いをして立った。

このようすを見た義経は、
「さぁ、下りろ！　義経を手本にしろ！」
と叫ぶと同時に、先頭を切って駆け下りた。これに三千騎の軍勢が続く。駆け下りるとすぐに、平家の屋形に火を放った。虚《きょ》を突かれた平家は、たちまち大混乱に陥り、海岸に並べてあった船に向かって我先にと敗走し、実にあっけない幕切れで、源氏の勝利に終わった。

ところで、義経のこのときの奇襲作戦は「鵯越《ひよどりごえ》の逆落《さかお》とし」と呼ばれて有名だが、『平家物語』の記述やこの場面を描く絵などをみると、馬に乗った義経があたかも平家が陣をかまえる一の谷の背後の断崖を一気呵成《いっきかせい》に駆け下りたかのように思われる。しかし、実際はそうではなかったようだ。

「鵯越」とは、現在でもその地名が残るが、神戸市兵庫区と北区の境あたりの山道のことである。『平家物語』研究の第一人者である水原一氏によれば、摂津国八部《やべ》郡夢野（神戸市兵庫区）から六甲山脈を高尾山の西で越え、藍那《あいな》を経て播磨国美嚢《みのう》郡三木（三木市）方面へと向かう間道の、とくに藍那辺《あいなべ》までの山道のことだという。

『平家物語』にもいろいろな本があり、古態本とされる「延慶本《えんぎょうぼん》」や「四部合戦状本《しぶかっせんじょうほん》」などという本には、「鵯越」が一の谷の北方の高山地帯をいう名、あるいはそこを通るひとつの山路として正しく用いられている。ところが、時代を経るにつれてしだいに混乱し、まったく誤って、「鵯越」を一の谷の背後の断崖名とし、それをまるで「逆落とし」したかのように描かれてしまうようになる。

もちろん、実際の義経の足どりは知ることはできないが、先の水原氏によれば、義経は鵯越を抜けきらず、六甲山脈を越えたところから西へ山づたいにたどり、一の谷の上方鉄《てっ》拐《かい》ケ《が》峰《みね》（海抜二三八メートル）から急峻《きゅうしゅん》を駆け下りたのではないかといわれる。

25 義経が平家討伐に再登板された理由は？

一の谷での合戦後、頼朝に無断で朝廷の官職に就《つ》いた義経は、一時期、平家追討の役目をはずされる。義経にかわって、平家追討の全権を任せられたのは、もうひとりの兄・範頼である。

元暦《げんりゃく》元年（一一八四）八月八日、範頼は、北条時政《ときまさ》・足利義兼《よしかね》・武田《たけだ》有義《ありよし》・千葉常胤《つねたね》・三浦《みうら》義澄《よしずみ》・比企《ひき》能員《よしかず》・和田義盛《よしもり》ら一千騎の大軍を率いて鎌倉を出発し、いったん都に入って、九月二日には都を出て西海に向かった。

当初の作戦は、原田《はらだ》種直《たねなお》など平家の有力な家人《けにん》が勢力を張る九州を制圧して、それらの武士を味方につけたうえで四国を攻撃するというものだった。結果からいっても、この範頼の作戦は失敗だった。このあと、義経が平家のいる四国屋島を直接めざしたように、やはり範頼も先に四国屋島の平家を直接攻撃して、瀬戸内方面の制海権を確保すべきだった。

というのも、制海権を平家に握られたままの状態では、海からの物資の補給は実質不可能で、物資の補給はもっぱら山陽道からの陸上輸送一本に頼るしかなくなる。しかし、西国へ進軍すれば、当然物資を補給するための輸送路は進軍したぶんだけ長くなり、陸上輸送一本では物資の補給はままならなくなる。

物資が不足すれば、どのような事態を招くかということぐらい容易に予想できたはずだが、範頼にはそこまで考えがおよばなかった。

案の定《じょう》、範頼軍は兵糧米《ひょうろうまい》と船の調達に苦しみ、進軍は思うようにいかなくなった。そればかりか、慢性的な物資不足に悩まされる範頼軍は、しだいに戦いに嫌気がさし、望郷《ぼうきょう》の念に駆られた武士の半数以上が本国に逃げ帰りだすという危機的状況に陥った。こうした事態に範頼は、鎌倉の頼朝に対して窮状《きゅうじょう》を訴える手紙を再三にわたって書いた。

範頼の手紙を読んで事態を重くみた頼朝は、はるばる鎌倉から兵糧米と船を輸送し、さらに九州・四国の御家人に所領安堵《しょりょうあんど》を条件として、範頼への援軍を要請した。それが功を奏《そう》して、豊後国《ぶんごのくに》（現在の大分県）の臼杵惟隆《うすきこれたか》・緒方惟栄《おがたこれひで》らが兵船八十二艘を、周防国《すおう》（現在の山口県）の宇佐那木遠隆《うさなぎとおたか》が兵糧米を献《けん》じたことで、範頼は正月二十六日になってようやく豊後への渡海に成功する。

慢性的な兵糧不足がこれで一時的にしのげたとはいえ、事態はなかなか好転するものでもない。渡海により平家軍を背後から攻撃するための拠点をつくることに成功したかにみえた範頼軍だが、まもなく長門《ながと》国彦島（山口県下関市）を拠点とする平知盛《とももり》の軍に敗れ、二月十四日、周防国まで退却することを余儀《よぎ》なくされる。

一進一退のまま、たいした戦果をあげられない範頼に対して、業《ごう》を煮やした頼朝は、一の谷で機動性をフルに活用して源氏軍を見事勝利に導いた義経の力に頼るしか方法はないと考え、ついに義経の再起用に踏み切った。

26 義経と梶原景時を対立させた「逆櫓《さかろ》の論争」とは？

「平家を追討せよ！」

頼朝は義経に再び命令を下した。元暦二年（一一八五）二月十六日、義経は、摂津《せっつ》国渡辺（大阪市北区）で船揃えし、先陣をきって四国に渡海しようとした。しかし、その日はあいにく北風がにわかに吹き荒れ、大波のために多くの兵船が破損し、修理を余儀なくされた。このため出発は一時延期となった。

『平家物語』で有名な義経と梶原景時《かじわらかげとき》との「逆櫓《さかろ》」の論争が起きたのは、このときである。

船戦をどう進めるべきかと評議するなかで、梶原は船に「逆櫓」を取りつけようと提案する。

「逆櫓とは何だ？」

義経は「逆櫓」がどういうものかを知らなかった。

船にはふつう櫓は艫《とも》（船尾）についている。梶原は、それを舳《へ》（船首）にもつけて、船の進退が自由になるようにしようとしたのだ。これを聞いて義経はあざ笑い、

「戦いというのはいつだって一歩も引くまいと思っていても、ときにはいやでも引かねばならないことだってある。はじめから逃げ支度をして戦いに臨《のぞ》んでいては、勝てるいくさにも勝てまい。お前の船に逆櫓をつけるというのなら、いくらでもつけるがよい。ただし、おれは逆櫓なんてつける気は毛頭《もうとう》ない。これまでの櫓で結構」

と、強く反対した。梶原はこの義経の勇猛な発言に対して、

「よい大将軍というのは、進退をよく見極めて、身の安全を保って敵を滅ぼすものです。あなたのように前後もわきまえず、ただやみくもに突進しようとするのは〝猪武者〟といって、決して誉められたことではありません」

と、いってたしなめるが、義経は、

義経と景時が論争した逆櫓の松跡（写真 / 大阪市福島区）

「猪だか鹿だか知らないが、戦いというのは、ただひたすらに攻めに攻めて勝ったほうが気持ちがよい」

と言い放ち、互いの言い分は平行線をたどったまま、その場に険悪な空気だけが漂ったという。

ところで、梶原景時が主張したような櫓のつけかたは、はたしてあったのだろうか？　残念ながらその実例を発見することはできない。ただ歴史家の山本幸司氏は、おもしろい用例を紹介している（『頼朝の精神史』）。なんと「逆櫓」の用例が古代ローマにあったというのだ。山本氏は、「時間的にも空間的にも飛躍するが」と断りつつも、紀元一世紀ごろのローマの歴史家タキトゥスの『年代記』に載っているゲルマニア戦役の記事、すなわち

「そこでゲルマニクスは、……大半の船には舵を前後両端につけ、漕《こ》ぎ手が迅速《じんそく》に方向転換を行なって、どちらの側にも着岸できるように工夫した」という箇所を傍証《ぼうしょう》に挙げる。なるほど、このことからすれば、「逆櫓」が源平時代に用いられていたとしてもおかしくはなさそうである。

27　屋島合戦、那須与一の扇の的までの距離は？

屋島合戦のさなかの夕暮れ時のこと。勝負は明日にしようと源平両軍ともに引き揚げようとしたとき、沖に浮かぶ平家方から立派に飾り立てた小船が一艘、海岸にいる源氏方に向かって漕ぎ寄せ、海岸から七、八段ばかりの距離のところまで来ると、そのまま横向けに船を止めた。

人々が見守るなか、船上に年のころ十八、九の美しく着飾った女が現われた。金色《こんじき》の日の丸が描かれた真紅《しんく》の軍扇《ぐんせん》を竿《さお》の先にはさみ、その竿を船べりに立て、海岸に向かって手招きした。

どうやらその扇を射よというものらしい。この役にふさわしい者として、下野国《しもつけ》（現在の栃木県）那須郡の住人、那須与一《なすのよ》宗高《いちむねたか》が選ばれた。与一は小柄な体格ではあるが、肝心《かんじん》の弓の腕前は、駆け鳥（空を飛んでいる鳥）の三羽に二羽を射落とすほどであったという。

義経は沖合の船を指さし、与一に扇を射るように命じる。さすがの与一もこの役を一度は辞退するが、それが許されないと知るや、すぐさま弓を手に水際に向かって馬を進めた。

しかし、扇までの距離は少し遠すぎた。そこで、与一は騎馬のまま、さらに一〇メートルあまり海に入った。視界が悪いうえに、あろうことか、春先《はるさき》特有の北風が激しく吹いており、扇の的に向かう与一にとっては向かい風。磯《いそ》に打ち寄せる波は高く、沖に浮かぶ船は波に揺られて上下に動き、なかなか的を絞《しぼ》れない。与一は目を閉じて、ゆっくり深呼吸をした。

そのときである。それまで吹いていた風が一瞬弱まった。

今だ！　与一の射た矢は見事、扇に命中した。これには源平双方から感嘆の声がもれた。

以上の話は、『平家物語』の名場面のひとつ「那須与一の扇の的」の話だが、いったい、船上の扇までの距離はどれだけあったのだろうか。

『平家物語』には、海岸から「七、八段ばかり」の距離のところとある。「一段」は六間《けん》＝約一一メートルで、「七、八段」は約八〇メートルの距離だ（一段＝九尺で、二〇メートル前後と見る別説もあるが、これだと現実的すぎて平凡である）。矢の飛距離は、十二世紀ごろから合わせ弓の出現にともなって伸びたともいうが、さすがに遠かったのだろう、与一はさらに一〇メートル余り海に入った。

『源平合戦図屏風』にみる那須与一扇の的（屋島寺宝物館蔵）

実際は、約七〇メートルほど先の扇の的に向かって、与一は弓を射たのである。

ちなみにこのとき、与一が射た矢（鏑矢《かぶらや》）の寸法は「十二束三伏《そくみつぶせ》」。「束」は、げんこつ一個分の長さ（二寸五分＝約七・七センチ）で、「伏」は指一本の幅にあたる長さをいう。矢の長さは、その矢全体を手のひらで握って測り、そのこぶし何個分と数え、端数を指の幅で示した。したがって「十二束三伏」は、こぶし十二個と指三本分の長さということになる。

普通の矢は十二束（約九二センチ）を標準とするが、鏑矢は鏑《かぶら》のぶんだけ少し長くなって十二束二伏を標準とする。与一の矢は特別な矢ではなく、ほぼ標準に近い矢だった。

28 義経が危険を顧みず、流される弓を拾った理由は?

那須与一の見事な弓技に、両軍が感動した。すると、平家方の船からひとりの老武者が現われ、扇を立ててあったところに立って舞いだした。あろうことか、与一はこの老武者を義経に命ぜられるままに射殺してしまった。これを機に再び戦闘がはじまった。

平家方から二百余人が岸に上がり、楯を並べて源氏を挑発すると、源氏は義経を中心に八十余騎でこれを駆け散らす。平家は押し返されて、また船へと帰った。勝ちに乗じた源氏は、馬の太腹が水に浸《つ》かるほどに海中に乗り入れて攻め戦う。

この激戦のさなか、義経は深入りして戦ううちに、自分の弓を落としてしまった。義経はこれをうつむきになって、鞭《むち》でかき寄せ、必死に取ろうとする。部下たちは弓を捨てるよう制止するが、義経はかまわず弓を拾った。あとで老武者たちは、

「大金にかえる価値のある弓であっても、命以上の価値のある弓はない。身の危険を顧《かえり》みず、なぜああまでして弓を拾おうとしたのですか」

といってなじった。すると義経は、

「俺は弓が惜しくて取ろうとしたわけではない。強弓《つよゆみ》で知られた叔父《おじ》の為朝《ためとも》のような立派

義経弓流しの碑（香川県牟礼町）

な弓であったなら、わざとでも落として敵に取らせよう。しかし残念ながら俺の弓はそれほどの強弓ではない。これを手にした奴に、『源氏の大将の義経の弓はこんなにも貧弱な弓だったのか』といわれて、笑い者にされたくなかったから、俺は危険を承知で弓を拾ったのだ」

と答え、部下たちを感動させたという。

以上の『平家物語』に見える「弓流し」の話もまた、義経が何よりも名誉を重んじる武士だったことを物語るエピソードとして知られる。

ちなみに義経の話に出てくる為朝だが、源為義《ためよし》の八男として生まれ、九州で成長したことから「鎮西八郎《ちんぜいはちろう》」と称された。義経の父・義朝の弟で、保元の乱では崇徳院側の中心武士として戦った。『保元物語』によると、為朝は五人張りの弓（四人で弓をまげ、残るひとりがようやく弦《つる》をかけるほどの強い弓）で、しかも長さは八尺五寸（約二五五センチ）もある弓を引いたという。身長が七尺（約二一〇センチ）以上あって大柄な体格のうえに、左手が右手より四寸（約一二センチ）も長かったというから大きな弓を引けたのだろう。

29 源平両軍で一番の強弓の名手は誰か？

どちらが強く、しかも遠くまで矢を届かせることができるか。

壇ノ浦での合戦を前にして、源氏と平家のあいだで遠矢《とおや》の応酬があった。先に矢を放ったのは源氏の和田義盛。義盛は船には乗らないで、馬に乗って渚《なぎさ》にひかえていた。甲《かぶと》を脱いで人に持たせ、鐙《あぶみ》の先をぐっと踏みしめて、平家の軍勢めがけて弓を射た。放った矢のなかでとくに遠くまで届いたと思われるものを、

「その矢を返していただきたい」

といって平家を挑発した。平知盛がその矢を抜かせてみると、焦がしたり塗ったりしていない矢竹に、根元が白く先のほうが黒い鶴の羽と白鳥の羽とを交ぜ合わせて作った十三束三伏の矢であった。

平家方からは伊予国《いよ》（現在の愛媛県）の住人、新居親清《にいのちかきよ》が義経の船めがけて弓を射てきた。義経がその矢を抜かせてみると、焦がしたり塗ったりしていない矢竹に、山鳥の尾で作った矢で、十四束三伏あった。

「おい、味方にこの矢を射返すことができる者は誰かいないか」

義経がこういうと、誰かが、

「はい、甲斐《かい》源氏の浅利与一《あさりよいち》殿がおられます」

という。この浅利与一は、二町先にいる鹿でも射損なうことはなかったという評判の強弓の名手であった。

「それなら浅利与一とやらを呼べ」

浅利与一が義経の前に出てきた。

「そなたが浅利与一か。平家方からこの矢を射てきたが、これを射返せといっている。そなたに頼みたい」

与一は、十五束三伏ある矢を、塗籠籐《ぬりごめどう》の九尺ばかりある弓に取ってつがえ、狙いをつけて射放した。放たれた矢は四町余りの距離をつつっと射通して、平家の大船の船首に立っていた新居親清の胴の真ん中を射て、船底へまっさかさまに射落とした。

ところで、矢の寸法については、「那須与一」の項でもふれたが、「束」はげんこつ一個

壇ノ浦合戦のあった関門海峡（写真／下関市）

分の長さ（二寸五分＝約七・七センチ）で、「伏」は指一本の幅にあたる長さをいった。矢の長さは、その矢全体を手のひらで握って測り、そのこぶし何個分と数え、端数を指の幅で示した。「十三束三伏」あったという和田義盛の矢なら、こぶし十三個分と指三本分の長さ（約一〇〇センチ弱）、「十四束三伏」あったという新居親清の矢なら、こぶし十四個分と指三本分の長さ（約一一〇センチ）、「十五束三伏」あったという浅利与一の矢なら、拳十五個分と指三本分の長さ（約一一五センチ）ということになる。

　普通の矢は十二束（約九二センチ）を標準としたから、いずれの矢も大矢であったが、とくに「十五束三伏」あったという浅利与一の矢は珍しい大矢で、強弓で知られた鎮西八郎（源）為朝の「弓は八尺五寸、矢は十五束」（『保元物語』）に匹敵《ひってき》する。

ちなみに浅利与一の弓が九尺（約二七〇センチ）あったというが、弓の寸法の標準が七尺五寸（約二二五センチ）の当時としては、これもまた珍しい大弓であった。

30　定説「壇ノ浦合戦の勝敗の決め手は潮流の変化」への大疑問

壇ノ浦合戦の勝敗は、潮流《ちょうりゅう》の変化が決め手となった。こう初めて主張したのは歴史家の黒板勝美氏（『義経伝』）である。以来、これが通説となった。

黒板氏は海軍省水路部の調査に基づいて、壇ノ浦合戦があった元暦二年（一一八五）三月二十四日の潮流を割り出した。黒板氏によれば、この日の潮流は、午前五時十分ごろに高潮《たかしお》時刻となり、それから三時間二十分後の午前八時三十分ごろから潮は内海に向かって東流しはじめる。そのスピードはしだいに速くなり、午前十一時十分ごろには最高の八ノットに達する。壇ノ浦合戦がはじまったのは正午ごろ。この潮の流れが当初、平家に味方した。

ところが午後三時ごろから、潮流は逆に外海に向かって西流しはじめる。そのとき一度潮流は止まるが、しだいにそのスピードは速くなり、午後五時四十分ごろ、再び最高の八ノットに達する。この潮の流れに源氏が乗って戦い、これが運命の逆転となったというのだ。

この黒板説は、はたして正しいのだろうか。どうもあやしいらしい。

NHKの番組「歴史への招待」のスタッフは、壇ノ浦合戦の日の関門《かんもん》海峡の潮流を計算できないかという依頼を海上保安庁にした。この依頼により海上保安庁の海象調査官の赤木登氏がそのプログラムを作成し、コンピュータを使って数値を出した。

壇ノ浦合戦があった元暦二年三月二十四日は、グレゴリオ暦に直すと一一八五年の五月二日にあたる。その日の潮の流れは西流ではじまり、朝の八時十分に東流に変わる。この東流の最大が十時三十分で一・四ノット。この数値は関門海峡の一番狭い急流の場所での数値だという。そして、午後二時五分に潮の流れは再び西流しはじめる。これが黒板説でいう運命の逆転だが、潮の流れの最大は、午後四時二十分の〇・九ノットであったという。

黒板説とはずいぶん違う数値がはじき出された。この数値から見て、どうやら合戦の勝敗には潮流はまったく関係しなかったようである。

勝敗の行方を左右したのは、ここでも義経の奇襲戦法にあった。当時の軍船の構造では、漕ぎ手は全部セガイ、すなわち船縁に立って船を漕いでいた。まったく防御設備のない舷外で常に危険にさらされていた水手《かこ》（船乗り、漕ぎ手）・楫取《かんどり》（舵取り）ら非戦闘員への攻撃は、陸上の騎射戦において敵の馬を射るのと同様に、当時の合戦ではタブーとされていたが、義経はこのタブーを犯して、平家方の船を操る水手・楫取らを射殺すように命じた。

壇の浦合戦時の潮流の変化

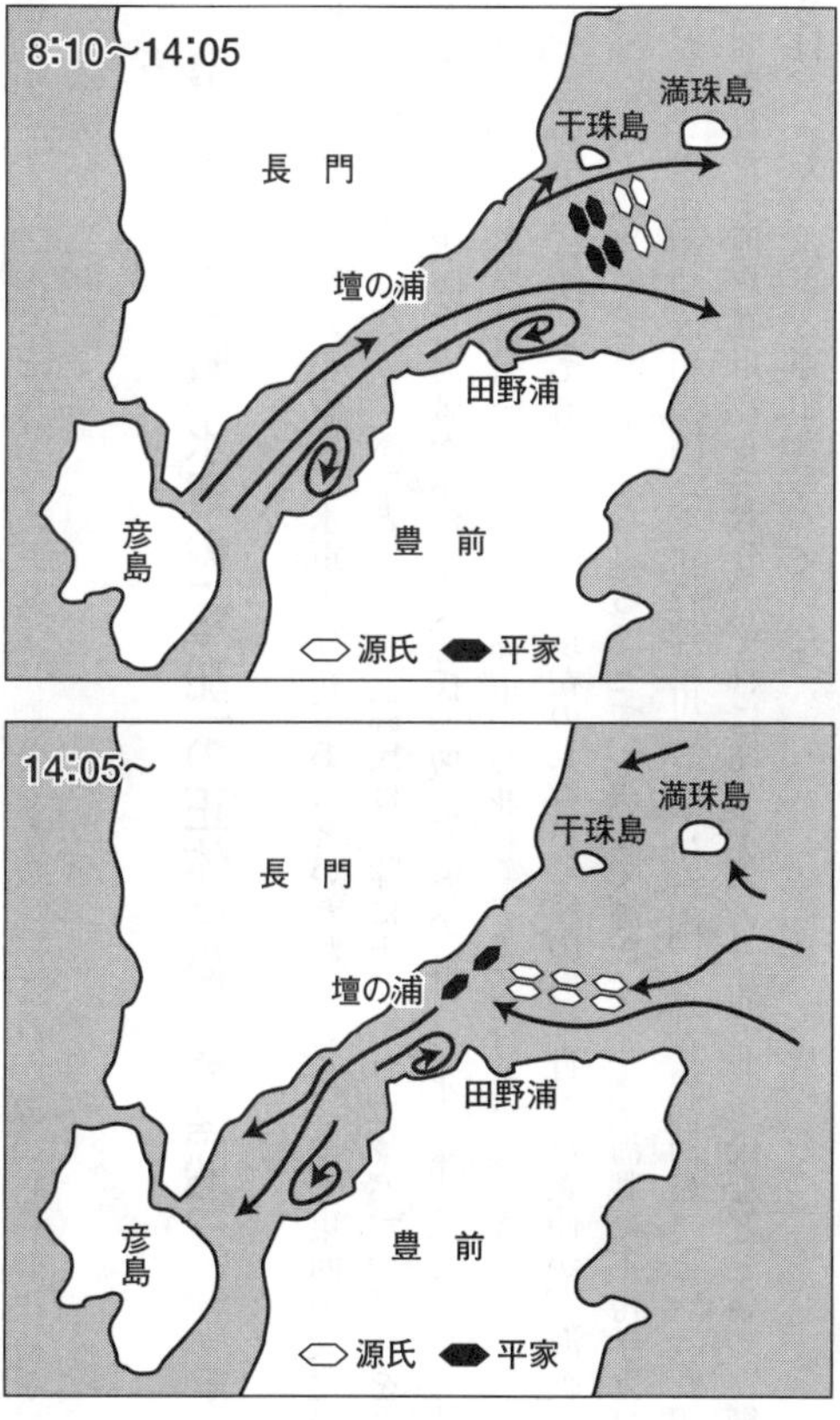

いくら海戦に強いといわれた平家でも、水手・楫取を失えば話は別だ。当然のことながら船は機動力を失い、混乱を極めてただ海上に漂《ただよ》うしかない。これが源氏勝利の決め手になった。

31 壇ノ浦合戦、水軍の「軍船」の正体は荷船や漁船!?

源平の争乱で勝敗を決めたのは、水軍の存在であるといわれている。よく東西の文化の違いから、「陸の源氏」「海の平家」といわれ、源氏は「陸に上がったカッパ」の扱いをされることが多いが、実際に海戦が不得手《ふえて》で源氏が敗退したのは、寿永《じゅえい》二年（一一八三）閏《うるう》十月の水島合戦（岡山県倉敷市）で、木曽義仲軍が敗北したときだけだ。

しかし、この事実に関しても、信濃《しなの》国（現在の長野県）の山奥で育った義仲が、海戦に不慣れだったことは当然として考えられることで、決して源氏すべてが海戦に不得手とはいいきれない。現に頼朝は相模《さがみ》国（現在の神奈川県）や伊豆《いず》国（現在の静岡県）といった周囲を海に囲まれた土地を拠点としており、それに従う千葉・三浦・北条氏などといった御家人たちは、多くの水軍と軍船をもっていた。

では、両軍の勝敗を左右したといわれる当時の水軍や軍船は、いったいどのようなもの

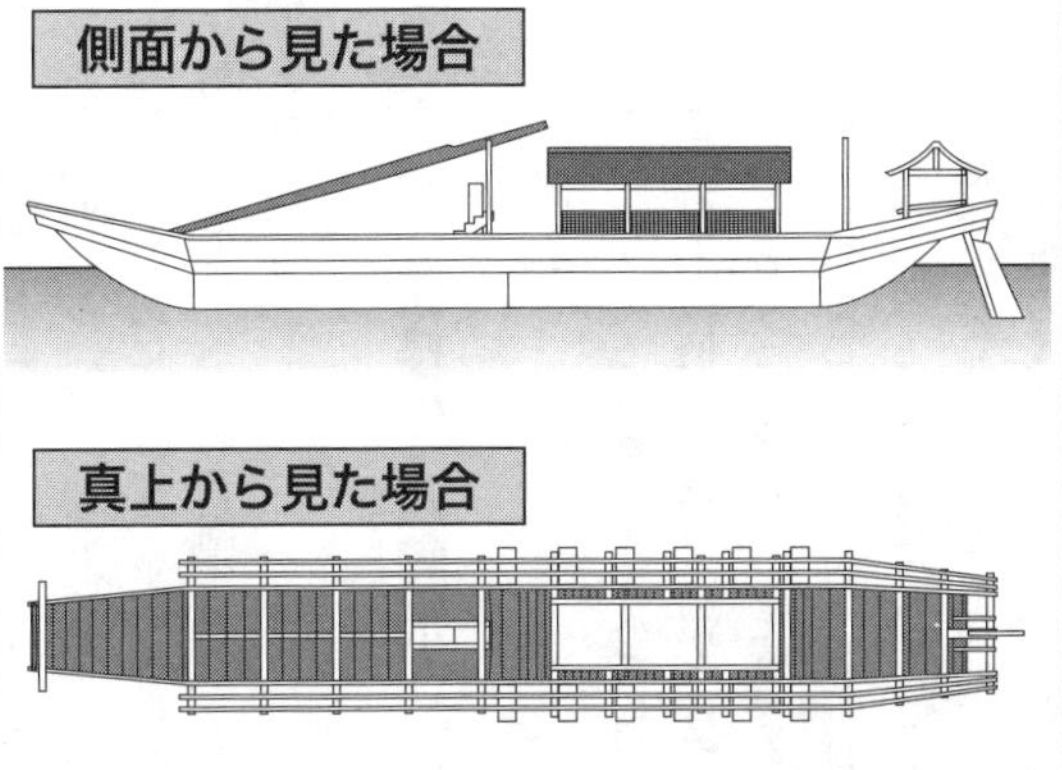

13世紀初期の大型海船の復元図（石井謙治作図より）

だったのだろうか？

　われわれの多くが、頭のなかでイメージする勇《いさ》ましい姿をした水軍や軍船が誕生したのは、戦国時代になってからだ。したがって、壇ノ浦合戦で用いられた船は、勇《いさ》ましい姿の軍船にはほど遠いものだった。そもそも、この当時は軍船として特別に造られた船などはない。ふだんは荘園の年貢などを輸送していた内航用の荷船や漁船が、戦時に軍船として用いられたのである。

　その船体構造といえば、木をくりぬいて造った刳船《くりぶね》（丸木船）で、両舷《げん》にセガイと呼ぶ張り出しを設け、そのうえで水手（船乗り、漕ぎ手）が櫓を漕ぐようになっており、船の積載《せきさい》量と乗組水主数の関係は、百石積《ひゃっこくづみ》（今日の約一〇トンにあたる）で楫取ひとりに水手六人、百五十石積（一五トン）で水手九人、最大級の三百石積（三〇トン）で水手十三人であったといわれる（以上、石井謙治氏の研究による）。

ちなみに、源氏に比べて、平家が海戦に強かったといわれるのは、瀬戸内海を中心に西国に勢力をもち、地元の荘園年貢米《ねんぐまい》などの輸送船を簡単に調達することができたことが起因とされている。

32 義経の「八艘飛び《はっそうと》」は本当にあったのか？

覚悟を決め、射るべき矢をすべて射尽くした平教経《のりつね》は、いかめしげに見せた造りの大太刀を抜き、白木の柄の大長刀の鞘《さや》をはずして、左右に持ってなで斬りにした。教経に面と向かって戦う者などいないが、それでも多くの兵が教経の刃《やいば》の犠牲になった。

「もはやこれまで」

どうせ負け戦である。これ以上雑兵《ぞうひょう》ばかりを殺したところで戦況に変化はない。

「あまり罪をつくるようなことはなさいますな」

という知盛の意見を聞いて教経は、ただちに戦法を変え、敵の船から船に乗り移って、源氏方の大将軍の義経だけを狙うことにした。

しかし、教経は義経の顔を知らない。そこで武具の立派な武者を義経と目星をつけて、船から船へと駆けまわった。義経は義経で教経の狙いを早く知っていたから、うまくかわした。そのうち、教経が義経の乗る船にうまくぶつかった。飛びかかる教経に、義経はかなわないと思ったのか、長刀を脇にはさみ、二丈ばかり（約六メートル）離れていた味方の船に、ゆらりと飛び移った。

義経は小兵だけに身のこなしが機敏《きびん》であったが、教経は飛び移ることができず、もうこれまでと覚悟を決める。太刀と長刀を海へ投げこみ、甲《かぶと》も脱いで捨てた。軽装になった教経は、寄ってきたひとりを海中に蹴倒し、二人をそれぞれ両腕に抱えこみ、海にざんぶと飛びこんだ。

以上の話は、『平家物語』の「能登《のと》殿最期」の一場面だが、これが後世有名な「義経の八艘《はっそう》飛び」の説話へと発展した。実際は「八艘飛び」ではなく「一艘飛び」である。いつから「一艘飛び」が「八艘飛び」になったのかは定かではないが、「一艘飛び」にしたところで、二丈ばかり（約六メートル）離れていた味方の船に、しかも大鎧姿で飛び移るというのはかなり至難《しなん》の業《わざ》だ。

大鎧はその高度な防御性のために、重量は二二〜二六キログラムにもなる。いくら義経が敏捷《びんしょう》なすばしっこい男でも、不安定な船上でこれを身につけたままでというのは実際には不可能だろう。

ところで、ここに登場する平教経だが、『吾妻鏡《あずまかがみ》』(寿永三年二月七日)では、すでに一の谷の合戦で戦死したことになっている。『玉葉《ぎょくよう》』はこれを疑問視し、『醍醐寺雑事記《だいごじぞうじき》』では壇ノ浦での戦死者リストに教経の名を記している。さらには『平家物語』での屋島、壇ノ浦の教経の活躍をみると、やはり『吾妻鏡』の記述は誤りとみるべきだろう。

33 源平時代の武士に「フェアプレー」は存在したか?

「嘘《うそ》も方便」というから、別段驚くことではないのかもしれないが、『平家物語』を読んでいると、嘘をついて他人をあざむく話が敵味方に関係なく多いことに気づく。

木曽義仲追討のため、京へ攻め寄せる義経軍が宇治川を渡ろうとして、川の水量の多さ、流れの速さに息をのむ。どう攻めようかと義経が進撃法を問うていた、まさにそのときである。梶原景季《かげすえ》と佐々木高綱《たかつな》の二人が先陣を争って、互いに馬を川に乗り入れたとき、佐々木は梶原に馬の腹帯《はるび》がゆるんでいることを告げる。もちろんゆるんでなどいないが、梶原が馬の腹帯を締め直している、その一瞬の隙をついて佐々木が先陣を遂げたという話(巻九「宇治川先陣」)は有名である。

この話は、功名のために時には味方すらもあざむいた武士の姿を描いたものだが、もちろんこうした嘘は敵に対しても行なわれ、ときにそれは勝敗の行方までをも左右した。

四国屋島に拠点を置く平家が、義経の奇襲に驚いて海上に逃れたあと、再び反撃に出たときの話である。義経の股肱《ここう》の臣として活躍した伊勢義盛が、三千騎を率いた田内左衛門《でんないさえもん》教能《のりよし》の陣に、たった十六騎のみ引き連れて、白装束《しろしょうぞく》（非武装であることを意味する）で出かけて行き、

「昨日、屋島の平家の勢がわれわれ義経軍に討たれたのをご存知でしょうか。安徳《あんとく》天皇は入水《じゅすい》され、宗盛《むねもり》殿父子は生け捕られ、能登殿（教経）は自害なさいました。あなたの父上、重能《しげよし》殿は降伏されて、いま私がその身柄を預かっていますが、『かわいそうに。息子の教能がこのことを知らないで、明日は合戦をしてあなた方に討たれるだろうが、痛ましいことだ』と夜通し嘆いておられるのがあまりに気の毒で、あなたにお知らせしようと、ここまでやってきたのです。降伏して父上に今一度お目にかかるか、合戦して討たれるか、それはあなたのお考えしだいです」

と、まことしやかにいった。状況が状況なら簡単に見抜けそうな嘘だ。しかし、屋島合戦の正確な情報を得ていなかった教能は、義盛の嘘が見抜けず降伏し、義経方に加わった。

こうした嘘にまつわる話を挙げればきりがない。倫理上（そういう倫理があったかどうか

は別にして）はともかく、合戦に際して嘘はいけないというルールがあったという話は当然聞かないが、合戦にはそれなりにルールは存在した。しかし、ルールはあくまでルールであって、交通法規上の制限時速があっても、必ずしもそれが守られなかったりするように、しばしば破られるのがルールである。

合戦に際しても、あらかじめ決めた合戦の日時や場所を守らない奇襲や夜討ちといった、いわゆる「だまし討ち」はよく行なわれている。義経はこの「掟《おきて》破り」の戦法を得意としていた。

こうした行為をどうみるかだが、武士たちのほとんどが、こういったルール破りに対して、別段気にしているようすはみられない。どうやら当時の武士を中心とした社会一般の感覚として、虚偽《きょぎ》・謀計《ぼうけい》を用いて敵を討つということは、それほど強い非難の対象にはならなかったようである。

なお、ここで触れた話は、佐伯真一氏の『戦場の精神史』に詳しい。参照されたい。

第4章

栄光の道を閉ざされた英雄・義経の流浪の日々の謎

34 平家滅亡の功労者・義経を頼朝が排除した理由は？

第一の理由として、義経が幾度となく頼朝の命令に背《そむ》いた行動をとったことが挙げられよう。

平家との戦いで、頼朝は「三種の神器《じんぎ》を取り戻せ」と厳命していた。しかし、壇ノ浦の合戦のとき、進退窮《きわ》まった二位尼《にいのあま》（清盛未亡人の時子《ときこ》）が神器を持ったまま、安徳天皇を抱えて海中に身投げしたのである。源氏軍は急いで引き上げさせようとしたが、神剣《しんけん》・神《しん》鏡《きょう》・神璽《しんじ》（勾玉《まがたま》）の三つのうち二つは取り戻せたものの、神剣だけはついに海底に沈んだままとなってしまった。

三種の神器とは、「国を治めるための証明書」のようなもの。中国でいえば「伝国璽《でんこくじ》」に相当する。つまり、「三種の神器を持った者こそが正統な統治《とうち》者」と主張できるのだ。頼朝が手に入れれば、朝廷と交渉するうえで有力なカードとなる。

その意味からすれば、神器の奪回は平家を滅亡させる以上に大事なことであった。平家を倒して有頂天《うちょうてん》になるような義経にこの重要性が理解できるはずもなく、頼朝の逆鱗《げきりん》に触れてしまったのである。

それ以上にまずかったのが、一の谷の合戦に勝って京都に凱旋《がいせん》した際、頼朝の許しを得ないうちから後白河法皇によって「左衛門少尉検非違使《さえもんのしょうじょうけびいし》」に任命されたことだろう。なお、検非違使の通称は「判官《はんがん》」というが、「判官びいき」という言葉はまさにここからきている。

頼朝がめざしていたものは、朝廷の力がおよばない武家政権の樹立である。ということは、賞罰《しょうばつ》や人事の権利も天皇・法皇から独立したものでなければならない。にもかかわらず、義経が朝廷から官職をもらってしまっては、「手柄を立てた者は、幕府を通さず勝手に褒賞されてかまわない」という前例を作ることになり、武家政権のアキレス腱《けん》になる恐れがあるのだ。そのあたりの綾《あや》を、義経はまったくわかっていなかった。

このように、義経は政治的バランス感覚がなきに等しい人物であった。しかし、軍事に関しては稀代《きだい》の「天才」である。こんな物騒《ぶっそう》な男が身内にいたのでは、政権を揺るがす爆弾となってしまう。頼朝からすれば、粛清《しゅくせい》の対象となるのは当然のことなのだ。

もうひとつの理由は、「頼朝が絶対的な支配権をもつ〝独裁者〟ではなかった」ということだろう。頼朝は武士の権益を確保するために祭りあげられた連合体の首長《しゅちょう》のようなものので、極論すれば「頭《あたま》」をすげ替えることは可能なのである。事実、のちに頼朝が長女の大姫《おおひめ》を天皇家に入内《じゅだい》させようとして、朝廷との協調路線を計《はか》ろうとしたとたん、関東武士たちは不満を示しているし、三代将軍実朝《さねとも》の死後には、北条氏が形ばかりの将軍を立てて執権《しっけん》政治を行なっているではないか。

しょせん、当時の源氏は武家政権の象徴《しょうちょう》にすぎない。となると、天才的戦術をもつ異母《いぼ》弟《てい》の存在は驚異でしかなくなる。華々《はなばな》しい武勲《ぶくん》をあげた義経が、武士や京に住む庶民の人気を集めてカリスマ的存在となり、後白河法皇に利用されることにでもなれば、武家政権成立への大きな障害となりうるのだから……。

なお、一の谷の合戦のあと、上総介広常《かずさのすけひろつね》の殺害、甲斐《かい》源氏への圧迫《あっぱく》など、有力者に対する粛清が相次いだ。その点からすると、義経排除は粛清路線の一環とみることもできる。

35 義経が頼朝から鎌倉入りを拒否されたのは梶原景時の告げ口のせい?

梶原景時という人物、従来のイメージとしては敵役《かたきやく》としての印象が強い。「チクリ屋」ということで、いわゆる「イヤな奴」と思われているのではないだろうか。義経について告げ口しただけでなく、頼朝死後、二代将軍頼家《よりいえ》に結城朝光《ゆうきともみつ》のことを告げ口し、和田義盛《よしもり》、三浦義村《みうらよしむら》といった有力御家人の怒りを買って追放されたというエピソードも残る。

ともあれ、梶原景時は頼朝の厚遇《こうぐう》を受けていた人物であった。かつて、頼朝が石橋山の戦いで敗れたとき、景時に命を救われた経緯があったからだ。

平家討伐の際、梶原景時は「軍目付《いくさめつけ》」として義経の部隊に派遣されていた。そして二人は、作戦をめぐって意見を対立させることになる。壇ノ浦の戦いに際して義経と景時がぶつかったようすが『平家物語』に描かれているが、だいたい次のようなやりとりである。

景時「今日の先陣は、この景時にお任せください」
義経「この義経こそが先陣である」
景時「あなたは大将軍ではありませんか」
義経「大将軍は鎌倉殿（頼朝）であって、私は軍奉行《いくさぶぎょう》を仰せつかった身。そなたと同格である」
景時「あなたは人の上に立てる器《うつわ》ではない」
義経「そなたこそ日本一の阿呆《あほう》だ」
景時「これはいかに？　私の主《あるじ》は鎌倉殿だけであって、ほかの主に仕えているわけではありませんぞ」

双方が刀に手をかけ、まさに一触即発《いっしょくそくはつ》の危機となった。とりあえずは周囲の武士たちのとりなしでその場はどうにか納まったが、これがもとで義経を憎むようになった景時は、頼朝に告げ口したのである。その結果、義経は退けられた……。

というようなことが『平家物語』には書かれているが、どこまで信用できるのだろうか？

二人のやりとりを冷静に考えれば、必ずしも梶原景時に非があるとはいいきれない。というのは、「軍の総大将というものは、先頭に立って戦うのではなく、後方で指揮をとるべき」というのは正論だからだ。

また、二人はこれ以外にもしばしば作戦をめぐって対立するが、景時は「かつてそんな前例はありませんでした」「軍規《ぐんき》に反しております」といって反対したものだった。それについても、一般論でいえば景時のほうが正論に近いのである。ただし、現実には景時の意見とは正反対の「奇策」を用いた義経の戦法がことごとく成功してしまう。官僚思考の強い景時には、天才肌の義経を理解できなかったということなのだろう。

景時の役目は「軍目付」、すなわち「軍監《ぐんかん》」であった。部隊がどのようにして任務を遂《すい》行《こう》したかを見届けて報告するのが任務である。となると、景時の立場からすれば、「告げ口」ではなく「報告」にすぎない。もっとも、義経と対立していただけに、「報告」に悪意が含まれていた可能性は十分にあるのだが……。

しかし、景時の「報告」によって義経が退けられたとは思えない。いかに義経に独断専《どくだんせん》行《こう》のきらいがあったとしても、赫々《かくかく》たる戦果を挙げているわけだから、その程度で処罰していたのでは誰も頼朝を信じなくなってしまう。やはり、先に述べた「頼朝の命令に対する違反」が最大の要因だろう。

36 義経が兄に出した「腰越状《こしごえじょう》」は別の人物が書いた!?

「左衛門少尉《さえもんのしょうじょう》源義経、おそれながら申し上げます。私の思いは、鎌倉殿の代官のひとりに選ばれ、勅旨《ちょくし》によって朝敵《ちょうてき》を退け、お家芸である弓馬《きゅうば》のわざを世に知らさしめ、亡き父上の汚名《おめい》を晴らしたことでありました。それゆえ、ご褒美《ほうび》をいただけると信じていたのですが、あらぬ讒言《ざんげん》によって、私の果たした武功を報告することすらできなくなりました。この義経、無実であるにもかかわらず、咎《とが》めを受けることになってしまいました。この義経、手柄を立ててこそすれ、罰せられるようなことをしておりません。にもかかわらず、鎌倉殿のお怒りを買ってしまうとは、無念の涙を流す思いでありあります」

以上のような書き出しで始まる「腰越状《こしごえじょう》」は、頼朝に対する義経の弁明であり、切々《せっせつ》と哀願《あいがん》する義経の心情がつづられた文書である。この腰越状は『吾妻鏡《あずまかがみ》』にも記載されており、名文として名高い。

しかし、「腰越状」が本当に義経の手によるものかどうか、疑問視する向きも多い。義経研究の権威であり、『義経伝』を記した黒板勝美氏は、「世に伝えられている腰越状は原文とは違う」と主張している。

義経が滞在した腰越の満福寺（神奈川県鎌倉市）

黒板氏の『義経伝』は、全編にわたって「判官びいき」的な見方で貫かれており、義経を「真の武士道精神の持ち主」「我が国史を通じて、もっとも尊敬し、もっとも追慕《ついぼ》すべき人物である」と絶賛している。

となると、「判官びいき」の最たるものともいえる「腰越状」などは無条件に認めてもよさそうなものだが、そうではないらしい。逆にいえば、それだけ「腰越状」の信憑性《しんぴょうせい》が薄いということにもなる。黒板氏以外にもこのような見解を示す研究者は多い。

その根拠として挙げられるのが、高野山《こうやさん》に伝わる義経の真筆とされる文書だ。原文や内容は省略するが、義経筆とされる文章は、余計な修飾《しゅうしょく》がなくいたってシンプルな言い回しだ。美文調の「腰越状」とは全然違う。また、義経は直情径行《ちょくじょうけいこう》で、回りくどいことをしない性格といわれており、その点からも「腰越状の女々《めめ》しさは義経に似つかわしくない」とする意見が多い。

このように、「腰越状」は義経とは別の人物の筆による可能性が高い。ただし、義経が頼朝に向けて何らかの弁明状を送ったことは、事実だろう。現在、一般的に知られている「腰越状」の内容は、「義経に同情した人物が、義経の文書をもとに涙を誘う名文に仕上げた」という見解が妥当《だとう》なところか？

37　義経の「腰越状」を頼朝がもし読んでいたら……？

義経が切々たる心情を訴えたという「腰越状」は、窓口の大江広元《おおえのひろもと》が頼朝に取りつがず、結局これを握りつぶしてしまった。しかし、「腰越状」そのものの真贋《しんがん》があやふやであるだけに、「もし頼朝が腰越状を読んでいたら」という仮定自体が無意味なものであるかもしれない。ただ、義経が自身の行為に対する弁明状を書いたことはほぼ間違いないだろうから、先の論旨《ろんし》にのっとって、「義経が単刀直入《たんとうちょくにゅう》に書いた弁明状を頼朝が読んでいたら」という状況で話を進めてみよう。

一の谷の合戦に勝って京都に凱旋した義経は、後白河法皇によって検非違使（判官）に任命された。で、世にいう「腰越状」のなかに、「当家の面目、稀代の重職、何事かこれに加えんや（このような重職に任命されるということは、われわれの一族にとってもきわめて名誉なことではございませんか）」という記述がある。

この一文が義経の書いた原文に近いものなのかどうか、正確なところはわからない。ただ、平宗盛《むねもり》らを捕虜《ほりょ》にして鎌倉入りしようとしたとき、頼朝に許されず追い返されたわけだから、何らかの形で弁明をするのはきわめて自然なことだ。したがって、「腰越状」のような切々とした哀願でなくとも、朝廷から判官に任命されたことを理由のひとつに挙げ、自身の行為を正当なものと認めてもらおうとする気持ちがあってもおかしくない。

さらにいうなら、物事をストレートに表現する義経の性格からすれば、「検非違使に任命された」という明確な事実は率直に主張できる「名誉」であり、弁明状のなかで記述する可能性はきわめて高い。

けれども、それがいけないのである。頼朝がめざしていたのは、朝廷の力がおよばない政権、すなわちアメリカ大統領リンカーンの名言ではないが、「武士の、武士による、武士のための政権樹立」にほかならない。となると、賞罰権や人事権といった重要な事項も、天皇や法皇の意向に左右されないものでなくてはならないのだ。

それを踏まえれば、頼朝の許可もなしに後白河法皇から検非違使に任命されるなど、もってのほかといわねばならない。しかも、義経は実弟であるだけに、ほかの武士たちに対してなおさら示しがつかないのである。軍事の天才義経には、そういった頼朝のような政治センスが欠落《けつらく》していた。

となると、「このような重職に任命されるということは、われわれの一族にとってもきわめて名誉なことではございませんか」などと書かれた弁明状を頼朝が読んだという状況は、怒りという炎に煮えたぎった油をブチこむようなものに等しい。かえって頼朝の神経を逆なでする文書にしかなり得ないのだ。

「あの阿呆めが、なにをたわけたことをぬかしておるのか……」

もし頼朝が弁明状を読んだとすれば、そんなふうに呟《つぶや》いたかもしれない。

38　義経の立場を危うくした、敵将の娘との婚姻とは？

「九月十四日、河越太郎重頼《かわごえたろうしげより》の娘が上洛してきた。源義経と結婚するためである。これは頼朝の命令によって決まったことである。重頼の子二人と三十人あまりの家来がこれに伴《ともな》ってついてきた」

以上のことが元暦《げんりゃく》元年（一一八四）の『吾妻鏡』に記されている。簡単にいってしまえば、

「頼朝が河越重頼の娘と義経を結婚させた」ということだ。なお、河越重頼とは頼朝の御家人である。なんのことはない、頼朝がお膳立てした政略結婚にほかならない。

この婚姻《こんいん》劇は、義経が「左衛門少尉検非違使」に任命されたことに頼朝が激怒し、平家追討の任を延ばす処置をとってからわずか一カ月後のことだった。とはいっても、義経が検非違使に任ぜられたことによって決まった事項ではなく、かねてから予定されていたことだ。

そのため結婚の時点で、すでに頼朝は義経に対して憎しみを抱いていた。だが、この婚姻によって頼朝は一縷《いちる》の希望を抱いた。御家人の娘と結ばれることによって、義経が鎌倉政権にとって忠実な武将になることを期待したのである。結婚は忠義への「約束手形」であった。

ところが、それからわずか半年しか経たないうちに、とんでもないことが起きた。壇ノ浦の戦いのあと、義経が敵将・平時忠《ときただ》の娘と結婚してしまったのである。『平家物語』によると、この結婚は時忠の計略であったという。

義経は時忠にとって都合の悪い手紙を手に入れていた。この文書は、頼朝に見られては非常にまずいものであったらしい。そこで時忠は息子の時実《ときざね》と相談し、義経のもとに娘を妻として送りこんで手紙を取り戻すことにしたという。

娘は二十三歳で、心優しい美女であった。義経は彼女を特別な邸宅に招いてもてなしたというから、よほど気に入ったのだろう。結局、義経は時忠の娘との結婚を承諾《しょうだく》し、後日まんまと手紙を取り返されてしまったという。

「時忠の計略」説には疑わしいところがあるらしいが、敵将の娘と結婚したのは事実のようだ。となると、おもしろくないのは頼朝である。政略とはいえ、頼朝から河越重頼の娘を世話してもらったというのに、それからわずか半年後に平時忠の娘を妻にしてしまった義経に懐疑《かいぎ》の目が向くのは当然だろう。また、娘婿《むすめむこ》という関係から、義経が時忠を優遇《ゆうぐう》したことも頼朝の勘気《かんき》に触れたようだ。

まあ、この結婚劇が義経誅殺《ちゅうさつ》の直接的な理由になったとは考えられない。しかし、義経に対する不信感を増幅《ぞうふく》させる要因となったのは想像に難《かた》くない。その意味では、義経はなんとも軽率なことをしたものだ。

39 義経に「頼朝追討」の院宣を出した後白河法皇の真意

後白河法皇は波乱万丈《はらんばんじょう》の人生を送った人物である。

後白河の天皇在位中、保元《ほうげん》の乱が起きた。このとき後白河側は、平清盛、平信兼《のぶかね》、源義朝、源頼政《よりまさ》らの奮戦によって崇徳《すとく》上皇軍を破っている。後白河が譲位《じょうい》したあと、藤原信頼《のぶより》が起こしたクーデターを機に、清盛と義朝とのあいだに起きた勢力争い（平治《へいじ》の乱）で清盛が勝利し、平家の時代が訪れることになる。後白河の息子・高倉《たかくら》天皇に、清盛の娘・徳子《とくこ》が嫁いでいるように（なお、高倉の母は清盛の妻の妹）、後白河にとって平家は結ぶべき勢力であったわけだ。

しかし、平家が専横《せんおう》を極めるようになると、後白河は不快になった。平家排除を画策《かくさく》するようになるのだが、逆に清盛によって幽閉《ゆうへい》されてしまう。最終的に「打倒平家」をめざして源氏が挙兵するわけだが、その大義名分《たいぎめいぶん》となったのが、後白河の息子・以仁王の令旨《りょうじ》である。令旨を出させたのは源三位頼政であった。

源氏で最初に京都入りをはたしたのは木曽義仲である。すでに清盛が死んでいたので、義仲はあっさり都を制覇した。当初、後白河は義仲を優遇していたが、義仲は傍若無人《ぼうじゃくぶじん》で、しだいに後白河と衝突するようになり、邪魔な存在になってきた。すると後白河は、今度は鎌倉にいた源頼朝に目を向けたのである。

このように、後白河法皇は、貴族政治から武家社会への変革という大きな過度期に生きていた。それゆえ、「時代に翻弄《ほんろう》された」と評されることも多い。反面、策謀《さくぼう》によって皇室・朝廷の力、あるいは自分の力を保持しようとしていた面も見逃せない。この場合、力というより権威といったほうが適切かもしれないが。

後白河法皇の足跡を振り返ると、自分にとって都合のいい勢力と通じたり、現実に力を有する勢力と結んだりすることの繰り返しであった。後白河自身が権力の実質的な頂点に立っていたわけではなかったので、常に何らかの「力」と結びつく必要があったからだ。院政《いんせい》によって権力を振るうことを理想としていたものの、実質的な「力」を持ち合わせていなかったのだから仕方がない。

さて、義経だが、代官の座から引きずり下ろされ、与えられた領地も没収されたばかりか、刺客まで送られる状況であった。そこで兄と戦う決意をしたわけだが、このとき後白河法皇に「頼朝追討」の院宣《いんぜん》を求めている。

後白河は難色を示した。日本で最大の軍を動かせる頼朝を刺激したくなかったからだ。だが、義経が「院宣をいただけないなら宮中で自殺する」と詰め寄ってきたので、しぶしぶ承知せざるを得なかった。ほとんど強要である。もっとも、後白河が「義経が、自分をないがしろにする頼朝の抑止力《よくしりょく》になってくれれば」などという淡い期待を抱いていた可能性もなきにしもあらずだが。

いずれにしても、後白河は義経の理解者・庇護《ひご》者とはいいがたい。頼朝をして「日本第一の大天狗」といわせたのは、そのあたりに理由があるのだろう。「悲劇の武者に同情する心優しき法皇」という図式が蔓延《まんえん》したのは、後世の人々による「判官びいき」と「皇国《こうこく》史観《しかん》」によるところが大きいのではないだろうか。

40 義経は頼朝と戦って勝つ自信はあったのか?

とにもかくにも「頼朝追討」の院宣を後白河法皇から引き出した義経は、まず兵を集めることから手をつけた。これから戦争をはじめるのだから当然のことだ。

義経は常勝将軍の誉《ほま》れ高く、現実に平家を滅ぼした最大功労者。都では女子供からも人気を集めるほどの武将でもあった。そしてなにより、院宣という大義名分も手に入れている。さらには、後白河から兵糧徴収権《ひょうろうちょうしゅうけん》(四国・九州における年貢《ねんぐ》米を取り扱う権利)も与えられていたので(この権利は義経だけでなく叔父の行家にも与えられた)、兵に与える食い扶《ぶ》持《ち》の見こみもついていた。こういった背景があるだけに、

「自分についてきてくれる兵は少なからずいるはずだ」

と、義経が思ったのも無理はない。鎌倉の大軍団にはおよばずとも、それなりの軍を編成できると考えていたものと思われる。軍略・実戦については余人の追随《ついずい》を許さぬという自負があったのはいうまでもない。その意味では、院宣を得た当初の義経に、勝算らしき

ものはあったと見るべきだろう。

　ところが、義経の意に反して兵は思うように集まらなかった。実は、大きな誤算があったのである。

　頼朝追討における最大の大義名分は、後白河法皇からの院宣である。つまり、義経とともに戦うということは、朝廷をバックにするということにほかならない。まあ、院宣は建《たて》前《まえ》といえば建前だが、義経はあくまで軍人であって政治家ではないので、戦《いくさ》のあとの展望を思い描くことができなかった。仮に義経が頼朝を破ったとすれば、政治の形態は従来と何ら変わることがないわけで、武士の権益を確保するという点で大きく魅力に欠けていた。

　一方、頼朝は「武士のための独立した政治」をめざしていたわけだから、これが実現すれば、くすぶっていた不満が一気に解消されることになる。武士たちがどちらの道を選択するかは明らかであった。もし、義経が頼朝と同じように「武士の権益」をしっかり認識し、それに向けた「新しい武家社会」の構築《こうちく》をめざしていれば、かなりの兵が集まってきたと思われる。しかし、義経にはそのあたりの感覚が見事に欠落していた。誤算というより、認識不足というべきだろう。

　思うように兵を徴集できなかった義経は、都落ちを決意した。めざす先は九州である。その根拠はいうまでもなく「兵糧徴収権」だ。これによって、年貢を扱う権利を得ていたので、募兵《ぼへい》も容易だろうと考えていたのである。

また、「これまで以上に鎌倉から遠ざかることで、頼朝の力がおよびにくくなる」という計算もあったのだろう。こうして、九州を基盤に徐々に力を蓄え、頼朝に対抗するという青写真を描いていたと思われる。

41 九州行きに失敗した義経が畿内に長く潜伏できたのはなぜ？

都落ちした義経は、九州をめざすべく摂津国大物浦《だいもつのうら》（兵庫県尼崎市）を船出した。そのとき、義経は思いもよらぬ不運に見舞われた。嵐が襲いかかり、船団のほとんどが壊滅状態になってしまったのである。

この事故で、義経は大きな痛手を受けた。九州に連れてゆくはずの精鋭《せいえい》二百騎がほぼ全滅してしまったのだ。この二百騎は義経が諸国を放浪していたころや平家討伐を行なっていた時期をともにした、選りすぐられた強者《つわもの》たちだった。戦国時代の豊臣秀吉《とよとみひでよし》における加《か》藤清正《とうきよまさ》や福島正則《ふくしままさのり》あたりに相当する、いわば義経子飼いの、そしてもっとも信頼の置ける精鋭なのである。

さらには、義経を九州に案内するはずだった豊後《ぶんご》（現在の大分県）の武士も失ってしまっ

義経が船出した大物浦にある大物主神社（兵庫県尼崎市）

た。こうして義経の九州行きはご破算になったばかりか、頼朝に対抗する術《すべ》も失ってしまったのだ。

となると、義経に残された道は奥州の藤原氏を頼る以外になかった。しかし、奥州はあまりにも遠い。このとき、義経に従ったのは伊豆《いず》右衛門尉《うえもんのじょう》有綱《ありつな》、堀弥太郎景光《ほりやたろうかげみつ》、武蔵坊弁慶、そして静《しずか》御前のわずか四人だったという。一行は天王寺《てんのうじ》から吉野に向かった。その行程で、吉野は女人禁制《にょにんきんせい》の地であったため、ここで静と別れている。これ以降、義経は畿内を転々とする逃亡生活を余儀なくされることになる。

ところで、なぜ義経は畿内に潜伏しつづけることができたのだろうか？　やはり比叡山《ひえいざん》の協力抜きには語れないだろう。

当時、比叡山は数ある寺院のなかでもっとも勢力があった。一種の治外法権のような地であり、武士たちが直接踏みこむなどというのはまず不可能であった。また、山法師（比叡山の僧兵）たちの力も侮《あなど》りがたく、朝廷でさえ思うようにコントロールできないというのが実情だったのである。しかも、山法師のあいだには義経の名声が浸透《しんとう》しており、彼を庇護しようとする者も少なくなかったという。

義経が逃亡生活を続けているころ、むろん比叡山にも追及の手がおよんでいる。だが、比叡山側はのらりくらりと返事をはぐらかしたり、僧兵を差し出したりするなどで対処した。周辺の者が捕まることはあっても、ついに義経は捕えられなかったのである。

このあたりは、かつて義経が鞍馬寺に預けられたことに関係していると思える。

義経の鞍馬寺時代は、天狗に武芸を教わったとか、なにかと荒唐無稽《こうとうむけい》な逸話が多いが、鞍馬寺と関係があったこと自体は事実であると考えられる。

『平治物語』に「鞍馬寺の東光坊阿闍梨《とうこうぼうあじゃり》の弟子・禅林坊《ぜんりんぼう》阿闍梨覚日に預けられて遮那王《しゃなおう》となった」という記述がある。義経が畿内に潜伏しているとき、東光坊阿闍梨に「義経をかくまったのではないか」という嫌疑《けんぎ》がかけられたという事実があるだけに、『平治物語』に記された人間関係が存在していたことが裏づけられるのだ。

42　義経への院宣が政治的に利用されたカラクリ

　義経が畿内《きない》に潜伏していたとき、堀景光らの腹心は捕えられたものの、義経その人は無事脱出して奥州に向かった。そして、文治《ぶんじ》三年（一一八七）、義経が藤原秀衡のもとにいることが確認されたのである。鎌倉の頼朝は、この件を最大限に利用しようとした。

　先に紹介したように、代官の座から引きずりおろされ、刺客まで送られることになった義経は、ようやく兄・頼朝と戦う決意を固めた。このとき義経は、後白河法皇に「頼朝追討」の院宣を出すことを要求した。後白河からすれば、頼朝を刺激したくないだけに拒絶したいところだが、義経に「院宣をいただけないなら宮中で自殺する」とまで詰め寄られたのだから承諾せざるを得なかった。

　後白河にとっては不本意な院宣とはいえ、出したこと自体は紛《まぎ》れもない事実である。頼朝からみると、後白河に大きな貸しを作ったことになるわけだ。この「貸し」が、義経が奥州に入ったことに関して大きくモノをいうことになる。

　義経が奥州に入った三年後、頼朝は京に大軍を送りこんだ。朝廷が大いに恐れおののいたのは当然だろう。後白河法皇は、あわてて「義経追討」の院宣を出した。院宣などという形式にはほとんど意味はないが、こうした展開こそ頼朝の思う壺《つぼ》だったのである。

このとき、頼朝の総代《そうだい》となっていた北条時政は「追捕使《ついぶし》」を置くことを認めさせた。「追捕使」とは、罪を犯した者を追捕する者、現在でいえば警察のようなものである（のちに追捕使は「守護《しゅご》」という役職になってゆく）。北条時政率いる軍の圧力があったとはいえ、「義経追討」の院宣を出したのは厳然たる事実であった。となると、

「義経は朝廷も認めた謀反人であります。ということは、彼奴《きゃっ》を捕まえるために追捕使を置いてもかまわない、ということになりますな」

と、詰め寄られた場合、拒絶することは難しい。また、朝廷には直属の軍がないだけに、力を背景にしてはねつけることも不可能だった。そして、義経になかば強要されたものとはいえ、朝廷には「頼朝追討」の院宣を出した弱みがあった。北条時政の、というより頼朝の要求を、朝廷は受け入れるしか術がなかったのはいうまでもない。

頼朝はさらに、「追捕使」とともに「地頭《じとう》」を設置することも認めさせた。

「地頭」とは、簡単にいうと「土地の管理、年貢の徴収、それに付随《ふずい》する取り締まり」をする役職である。「地頭」の設置は、「武士が土地を所有する」というもっとも大切な権利を認めさせるものなのだ。

そもそも、武士は土地の所有権をめぐって立ち上がったのである。朝廷に「地頭」を認

めさせることは、全国の武士たちの頼朝に対する信頼を、より強固にする効果を持っていた。当然、「地頭」の任命権は頼朝にある。

こうして頼朝は武家の棟梁《とうりょう》としての基盤を確固たるものとしたのだ。「頼朝追討」の院宣は、まさに頼朝によって政治的に利用されたことになる。義経からみると、院宣は自縄《じじょう》自縛《じばく》にも等しかったといえるだろう。

43 義経の奥州までの逃亡ルートを推理すると……

九州をめざす矢先、摂津国大物浦（兵庫県尼崎市）で嵐に遭遇《そうぐう》し軍団のほとんどを失った義経は、しばらく畿内に潜伏したあと奥州藤原氏のもとに向かった。九州での募兵が不可能になった時点で、義経が頼れるのは藤原氏しか残っていなかったからである。

奥州行きのルートとして有力な説に、「比叡山から琵琶湖を通り、北陸路へ出たのではないか」というものがある。『義経記《ぎけいき》』にも「判官は、海津の浦（琵琶湖の沿岸）を立ち給ひて、近江の国（現在の滋賀県）と越前《えちぜん》（現在の福井県）の境なる荒乳山《あらちやま》へぞかかり給ふ」と書かれている。その後、北陸を経て出羽あたりから平泉をめざしたと思われる。このルートは険しい山道が多く、相当の労苦《ろうく》があったといわれている。若かりしころの義経が平泉に行ったときは東海道を通ったといわれているが、いかに道筋《みちすじ》が楽だといっても、「お尋ね者」となった身で頼朝の目が光る鎌倉付近を通過するとは考えにくい。あまたの脚色《きゃくしょく》が盛りこまれている点を除けば、この説は妥当に思われる。

ただ、もうひとつ有力な逃亡ルートが考えられるのだ。それは陸路ではなく海路にほかならない。その根拠は熊野《くまの》社、すなわち熊野水軍の存在である。

かつて義経は、屋島、壇ノ浦で平家を圧倒したが、それについて「熊野水軍の助けがあったのではないか」と考える向きがある。そもそも、義経自身は山育ちで水戦に不慣れなはずだから、有力な水軍関係者の援護がなければ不可能とする考え方があるほどなのだ。また、武蔵坊弁慶が熊野新宮別当《べっとう》・湛増《たんぞう》の子であるという点も、熊野社とのつながりを示す根拠となっている。『尊卑分脈《そんぴぶんみゃく》』によれば、藤原湛増の系統に弁慶は登場してこないが、熊野に関係する人物が比叡山の庇護を受けていた義経に従っていたのは十分に考えられることだろう。

また、奥州藤原氏と熊野の関係を示唆《しさ》するものもある。平泉付近に金田八幡社というのがあって、そこに熊野三社との関係を示す文書が残されているのだ。また、伝説にすぎないものの、奥州藤原家の三代目藤原秀衡《ひでひら》が熊野に参拝《さんぱい》して祈願したところ、念願の子供を授かったという話もあるほどだ。

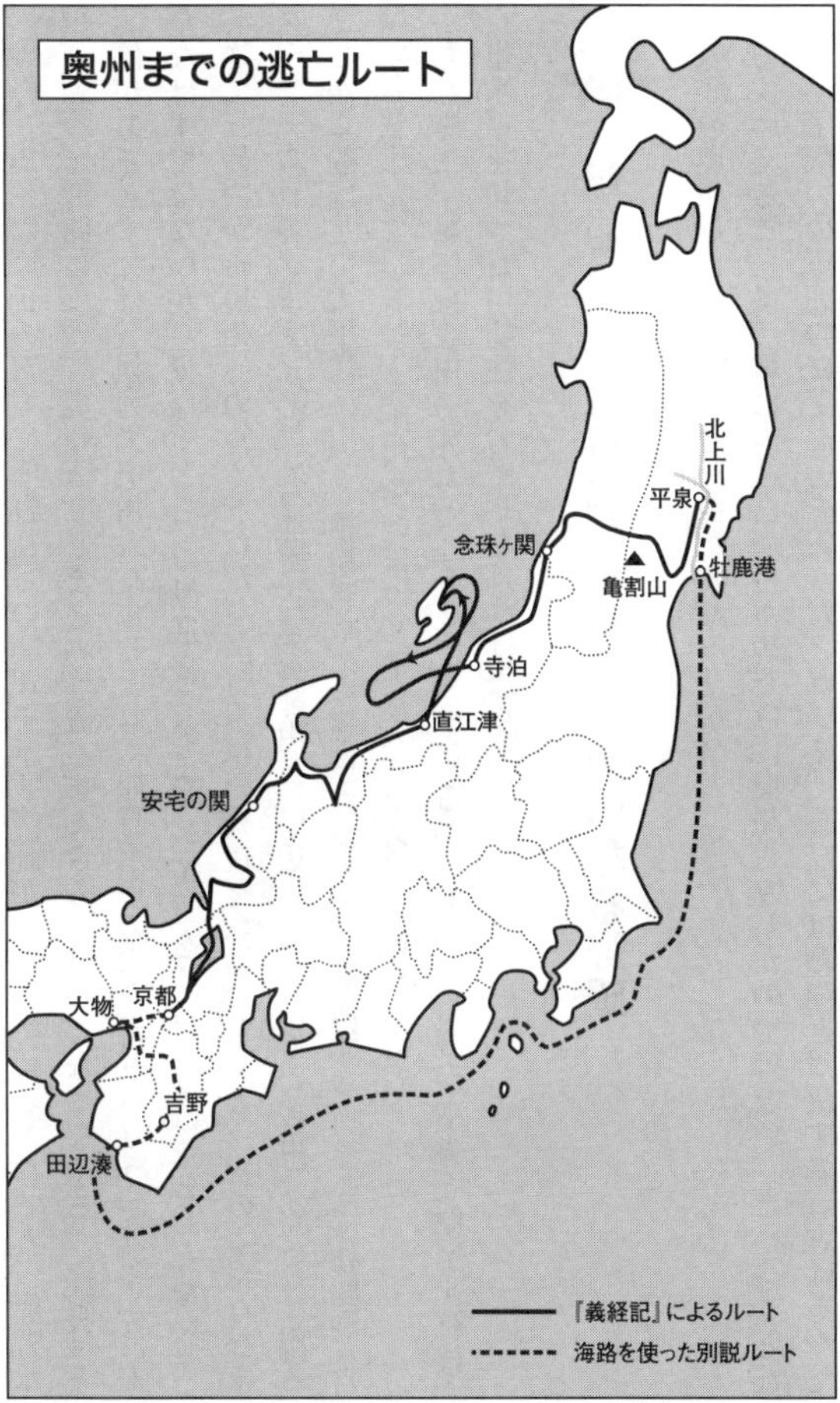
奥州までの逃亡ルート
北上川
平泉
念珠ヶ関
牡鹿港
亀割山
寺泊
直江津
安宅の関
京都
大物
吉野
田辺湊
『義経記』によるルート
海路を使った別説ルート

義経、奥州藤原氏の双方に熊野社との関連を示す傍証が残されているとなると、熊野水軍を頼って海路によって奥州入りしたという説もまんざらではなくなってくる。熊野社と関係があるとすれば、独力で奥州入りするより、熊野水軍の力を借りるほうがはるかに安全なはずではないか。少なくとも、「勧進帳《かんじんちょう》」のような苦労をする必要はほとんどない。

さて、畿内から奥州へのルートだが、熊野水軍の介在《かいざい》を念頭《ねんとう》におくと、次のようなケースが考えられる。まず、吉野から熊野古道を経由し、田辺湊《たなべみなと》（和歌山県田辺市）あたりに出る。そこから船出して太平洋に出て、相模湾や房総半島を遠巻きに航海する。そして牡鹿港《おじかみなと》（宮城県石巻市）に入港し、北上川をのぼって平泉入りする、というものだ。

ちなみに、義経は衣川《ころもがわ》で死んだことになっているが、もし北行説が事実と仮定すれば、安東《あんどう》水軍を頼った可能性を考慮《こうりょ》しなければならない。

44 奥州へ落ち延びた義経の大いなる野望

義経の奥州行きの目的は何だったのだろうか？

まずいえることは、単に「逃亡」のためだけに奥州入りしたのではない、ということだろう。子飼いの軍団のほとんどを失ったとはいえ、義経には頼朝と対決する意志はあったはずだ。となると、徹底抗戦の拠点として奥州を選んだとみるべきではなかろうか？

続いて、奥州支配の目論みもあったと考えられる。作家の中津文彦氏によれば、奥州制覇は源氏一門の悲願であったという。

源氏が東国とかかわりあうことになるのは、十一世紀初めに起こった平忠常《ただつね》の乱を鎮圧《ちんあつ》するために源頼信《よりのぶ》が追捕使に任ぜられたことにはじまる。これ以降、源氏の勢力が広がってゆくわけだが、東国における平家の基盤は強固だったので、奥州を制覇することによって対抗しようとしたのだ。そして頼信から「棟梁」の座を継いだ頼義《よりよし》から、義家《よしいえ》、為義《ためよし》とその野望を抱きつづけてきたのである。

なかでも、為義の思いは強く、頼義、義家同様に陸奥国守《むつこくしゅ》任官を強く希望していた。しかし、為義を奥州に送れば、必ずこれを攻めるだろうと見ていた朝廷は、それを許さなかった。それでも陸奥国守にこだわる為義は、ほかの国守への任官をいっさい拒否しつづけたほどだったという。

このように、奥州制覇は源氏代々の宿願《しゅくがん》であった。現に頼朝も藤原氏を滅ぼして奥州を制圧している。

中津氏は、「源氏の血を引く義経もそんな思いを抱いていたはずだ」と主張している。

ただし、「藤原秀衡を倒して制圧するのではなく、頼朝と対決するよう秀衡を動かし、奥州の軍団を動かすつもりだったのでは」と思われている。つまり、「藤原秀衡と組むことによって奥州を意のままにする野望を抱いていたのではないか」と考えられるのだ。

そこで問題になるのは、秀衡が実際に対鎌倉戦をやるだけの腹があったのか、ということだろう。だが、秀衡も暗愚《あんぐ》ではない。放っておいても頼朝が攻めてくるのは目に見えている。それだけに、「軍事の天才義経を確保するのは来るべき決戦に備えて不可欠なこと」と考えていたフシが見られるのだ。そもそも、義経を受け入れたこと自体が頼朝に対抗する布石《ふせき》というべきだろう。

奥州には十八万(『吾妻鏡では十七万)といわれる大軍団が控《ひか》えていた。しかし、長《なが》らく平和を保っていた奥州の兵は実戦経験がゼロに等しい。となると、実際に戦うためには、経験豊富な義経の存在が大きくクローズアップされるのである。事実、秀衡は今際《いまわ》の際《きわ》に「義経を大将軍としてその下知《げち》に従え」という遺言《ゆいごん》を残しているほどだ。

こうしてみると、奥州入りは義経・秀衡両者の思惑が一致した結果とみることもできる。

第5章

奥州で悲劇の最期を遂げた義経にまつわる謎

45 奥州逃亡後の義経はどんな生活をしていた?

文治《ぶんじ》三年（一一八七）の初春、義経は奥州平泉に到着した。といっても、いつ奥州入りしたかを記録するたしかな史料はない。

『吾妻鏡《あずまかがみ》』は、この年の二月十日の条（記事）に「各地に隠れ住んで追捕使《ついぶし》から逃れた義経は、ついに伊勢（現在の三重県）・美濃（現在の岐阜県）などを経て奥州に赴いた」と記しており、現代の暦《こよみ》でいえば三月ごろには、すでに奥州入りしていたように書かれている。

ところが、同じく三月五日の条では、「義経が奥州の藤原秀衡《ひでひら》にかくまわれているという噂はどうやらたしからしいから、厳密に調べるように」という鎌倉での決議が発表されたとあり、四月四日の条では、「義経の居所はいまだにわからない」ということで鶴岡八《つるがおかはち》幡宮《まんぐう》ほかの社寺が行方を突き止めようと祈祷した話が載っている。

また、『玉葉《ぎょくよう》』には四月末ごろに、「美作国《みまさか》（現在の岡山県）の山寺で義経らしい出家姿の男が斬られたが、誤報とわかった」という噂が書かれているのをみても、京都や鎌倉では、義経がいつ平泉に入ったかについて、まったく見当がつかなかったようだ。つまり、『吾妻鏡』二月十日の記事は、編纂《へんさん》者がだいぶあとになって故意に付け加えたものと考えられるのだ。

春とはいえ、義経が足を踏み入れたとき、平泉にはまだ深い雪が残っていたことだろう。かつて鞍馬山を飛び出して平泉にたどりついたときの義経は、元服まもない少年だった。しかし、いまの義経は逃亡者とはいえ、平家を滅ぼした歴戦の大将に成長している。藤原秀衡にとって保護を求めてきた義経は、助けるどころか、むしろ頼りにすべき存在だったはずだ。

『義経記《ぎけいき》』では、義経の平泉到着について次のように描かれている。

使者からの報告で、義経が陸奥《むつ》国栗原（宮城県栗駒町）まで来ていることを知った秀衡は大いに驚き、さっそく百五十騎の軍勢をつけて泰衡を迎えにやらせるとともに、義経の妻のために輿《こし》を用意させた。

義経一行は、とりあえず月見殿《つきみでん》という屋敷に案内される。現在、中尊寺《ちゅうそんじ》参道の登り口を月見坂というから、その付近にあった建物だったかもしれない。警備の侍や世話係の下女などがついて丁重なもてなしを受け、数日後には馬や武具だけでなく、玉造《たまつくり》（宮城県玉造郡）など五つの郡を領地として与えられたので、義経はそれぞれを部下に分配した。

奥州藤原氏の領地をもらったということは、正式に「味方」と認められたしるしでもあった。その日から、陸奥や出羽の大名が、義経の機嫌をうかがいに訪れた。北上川の支流・

衣川《ころもがわ》の近くに新築された館へ移った義経は、連日宴会を開いて遊び、苦難《くなん》の逃避行を思い出しては楽しげに笑い声をあげたという。

こうして、平泉入りしたあとしばらくは、束《つか》の間の平穏な生活を送ったのだった。

46 義経を奥州藤原氏がかくまいつづけられたのはなぜ？

義経は、平泉に到着したと思われる文治三年（一一八七）から、衣河館《ころもがわのたち》（衣川館）で自害するまで、二年近くものあいだ、奥州藤原氏に保護されつづけた。京都を退いたあと、行く先々に厳しい追捕の手がおよんで、各地を転々としなければならなかったのに比べて、平泉は格段に安全な地だったことになる。

では、なぜ奥州藤原氏は、すぐに頼朝の攻撃を受けることなく、義経を長期間かくまうことができたのだろうか。

行方知れずだった義経が平泉にいるのを知ったとき、頼朝は「これですべて片づく」とほくそ笑んだにちがいない。秀衡が謀反人の義経をかくまっているのなら、奥州へ侵攻する十分な口実になるからだ。だが、頼朝にとって、それは簡単なことではなかった。

文治三年八月ごろ、頼朝の要求した院宣《いんぜん》が平泉へ送られた。内容は、「鹿ケ谷《ししがたに》事件後に配流《はいる》されて平泉にとどまっている中原基兼《なかはらもとかね》を解放すること。大仏鋳造《ちゅうぞう》のため三万両の黄金を献上《けんじょう》すること」で、それとは別に義経隠匿《いんとく》の疑いについて問い合わせる下文《くだしぶみ》もつけられた。つまり、頼朝は朝廷を仲介にして秀衡に脅しをかけたのだ。

しかし、秀衡の返答といえば、こうである。

「基兼どの本人は、京都へ帰るつもりはないといっております。また、黄金三万両の件ですが、これまでは一千両だけだったはず。最近は商人が砂金を買いあさっていくし、黄金も掘り尽くされて、とてもそんな大金は調達できません。義経の件については申し訳ない。ただ、謀反を起こそうという気はありませんので」

つまり、院宣をあっさりと拒否し、義経保護については認めつつも、遠回しに「口出ししないでいただきたい」とはねつけているのだ。

頼朝は、院宣の使者に雑色《ぞうしき》（下級役人）を同行させ、平泉の情勢を偵察《ていさつ》させていた。その報告では「秀衡方に用意の事」があるという。つまり頼朝と戦う態勢を整えつつあるというわけだ。これだけ条件がそろえば、すぐに頼朝が軍勢派遣を決めてもおかしくない。しかし、頼朝はもう一度、同じ院宣を下して再確認するよう朝廷に奏請《そうせい》している。

頼朝が奥州征討に慎重な態度を取りつづけた最大の理由は、奥州藤原氏の勢力そのものにあった。源平争乱が続くあいだ、奥州藤原氏は無傷のままに経済力を保ち、強大な「王国」

として自立していたのだ。むやみに軍勢を送れば、どんな抵抗にあうかわからない。在地勢力がまとまったときの危険性は、平家との戦いで十分に経験ずみだった。

しかも、秀衡が義経を利用して、反頼朝勢力を糾合《きゅうごう》したりすると、苦労して築き上げた政権が土台から揺るぎかねない。頼朝は慎重にならざるを得なかった。

鎌倉と平泉は、緊張状態を保ちながら動きを止めた。そうした状況下で義経は平泉にとどまりつづけたのである。

47 息子二人に義経への臣従を誓わせた秀衡の胸の内は？

思いがけず義経が平泉に現われたことで、秀衡は驚くと同時に喜んだ。

かつて頼朝の挙兵を知って義経が駆けつけようとしたとき、秀衡は引き止めた。それは義経の器量を認め、奥州にとって必要な人材と感じたからだった。その後、義経は平泉を去り、秀衡が見こんだとおり、平家打倒の先頭に立って活躍し、実力を見せつけた。

普通のなりゆきなら、平家を倒した源氏の御曹司は政権の中枢にとどまるはずで、平泉に迎えることなどできるわけがない。ところが、義経は頼朝と決裂し、精根《せいこん》尽きて自分の懐に戻ってきたのだ。秀衡は、「挫折《ざせつ》して帰ってきたわが子」を見るような思いで、義経

奥州藤原氏の政治の中心地だった柳之御所遺跡（岩手県平泉町）

を迎え入れたことだろう。

平家が滅び、鎌倉で政権を築こうとしている頼朝が、次に奥州を標的にするのを秀衡は予測していた。奥州十八万騎を（『吾妻鏡』では十七万騎）率いる「北国の王者」として、「わしの目が黒いうちは頼朝の侵攻を許さない」という自信はたしかにあった。しかし、頼朝は自分が死ぬのを待って攻めてくるだろう。問題なのは後継者である。

秀衡には正妻の子として泰衡《やすひら》、忠衡《ただひら》、高衡《たかひら》、通衡《みちひら》、頼衡《よりひら》がおり、それ以外にも庶子《しょし》（側室の子）で泰衡の兄にあたる国衡《くにひら》がいた。

後継者候補としては、嫡男の泰衡か、長男の国衡ということになる。泰衡の母は公家の名門・摂関家の流れをひく藤原基成《もとなり》の娘で、血筋としては問題ない。一方、国衡は奥州第

──といわれる駿馬《しゅんめ》「高楯黒《たかだてぐろ》」に乗って山野を駆けまわるほどの豪傑《ごうけつ》である。ただ、奥州のリーダーとしての器量は、二人ともいささか物足りなかった。どちらを後継者に指名したとしても、はたして頼朝の侵攻を跳ね返す協力態勢が維持できるか、不安は大きい。そこに現われたのが義経だった。

まもなく死の床についた秀衡は、遺言をのこす。

「後継は泰衡とする。ただし、義経を大将軍と仰ぎ、その下知《げち》（指示）に従え」

来るべき頼朝の侵攻に備え、義経に奥州軍の指揮権を与えたのだ。さらに秀衡は、泰衡の母、つまり自分の正妻を国衡の妻として与え、国衡にはほかの弟たちとともに泰衡を補佐するよう厳命した。兄でありながら家督相続できない国衡の心情を思って、形式的に「泰衡の父」という立場を与えたわけだ。

これは、秀衡が選んだ最良の方策だったはずである。しかし、泰衡と国衡に起請文《きしょうもん》を書かせて義経への臣従《しんじゅう》を誓わせるなど、念入りに後事を託す秀衡の姿からは、安心して死出の旅につく余裕は感じられない。息子たちの器量を考えたとき、たとえ義経を大将軍に仰いだとしても、はたして持ちこたえられるか……暗い予感がよぎったはずだ。

秀衡の死因は、金色堂《こんじきどう》に納められた遺体の調査から、カリエスに敗血症《はいけつしょう》を併発《へいはつ》したものと推定されているが、従来、二代基衡《もとひら》のものとされてきた向かって左側の金棺が秀衡のものという近年の調査結果もあって、そうなると死因は脳卒中《のうそっちゅう》とも考えられる。

いずれにしても、秀衡は朦朧《もうろう》とした意識のなかで、奥州王国の行く末と義経の運命を案じながら、この世を去った。文治三年（一一八七）十月二十九日のことだった。

48 四代目の泰衡はなぜ父・秀衡の遺言に背いたのか？

奥州藤原氏の四代目となった泰衡は、秀衡の喪《も》を秘して、鎌倉からの義経追討の要求を無視しつづけた。これは、父・秀衡がとったのと同じ、奥州藤原氏の実力をちらつかせた方策である。しかし、「秀衡死す」の情報は、まもなく頼朝のもとに届いた。

頼朝にとって、奥州平定は悲願ともいえるものだった。平家を滅ぼしたものの、西国にはまだ反頼朝勢力が残っていたし、後白河法皇は頼朝嫌いで、むしろ義経をひいきにしている。老獪《ろうかい》な秀衡は、西国勢力や朝廷とひそかに連携《れんけい》を強めながら頼朝を牽制していた。もし、秀衡が義経を利用して反頼朝勢力をまとめあげれば、奥州の独立は維持できたろう。

ところが、頼朝にとって最大の壁だった秀衡が死んだ……。天からもらったチャンスに頼朝は小躍《こおど》りしたはずだ。

一方の泰衡にしてみれば、こうしたスケールの大きい政治的な駆け引きは、経験不足から荷が重かったといわざるを得ない。

通説では、泰衡は「義経を大将軍と仰げ」という秀衡の遺言に反発をいだき、本心は不満だらけだったが、偉大な父の遺言だから、しぶしぶ従ったのだとされる。やがて鎌倉から義経追討の催促《さいそく》が連日のように届き、泰衡は「頼朝の敵である義経の首を差し出せば、奥州は安泰《あんたい》」と考えるようになった。

伝承によれば、秀衡の遺児たちは、義経を討つべきだという泰衡派と遺言を守るべきだとする忠衡派に分かれ、国衡も忠衡派についたという。

まとまりを欠く兄弟間で言い争いを続け、苛立《いらだ》ちがつのった泰衡は「四代目は俺だ」と不満を爆発させた。それが、文治五年（一一八九）閏《うるう》四月三十日の義経襲撃につながったとされる。この解釈なら、たしかに泰衡は「暗愚《あんぐ》」「無能」よばわりされても仕方ないだろう。頼朝が狙っているのは義経の首ではなく、奥州そのものだったから、見通しが甘いというしかない。

しかし、ここで大きな謎が浮かびあがる。秀衡が死んでから襲撃を受けるまでおよそ一年半のあいだ、義経は何をしていたのか、ということだ。

たとえ泰衡と国衡の関係がぎくしゃくしていたとしても、「大将軍」となった義経は、自分の命だけでなく、大恩ある秀衡が築きあげた奥州王国を狙う頼朝に対抗する作戦を練《ね》ったはずである。当然、新当主の泰衡に相談したことだろう。ところが、奥州は百年近くも戦乱がなかったため、泰衡はもちろん、十八万騎といわれる軍勢にも実戦経験はない。だから経験豊富な義経の防衛戦略に対する理解度は、極端に低かった可能性もある。秀衡死去から一年半のあいだ、義経は現実的な作戦を提示したものの受け入れられず、衣河館に引きこもったまま、襲撃を迎えた――「泰衡の裏切り」が事実だとすれば、そうした背景もあったはずだ。

49　頼朝との全面対決を想定していた義経の作戦とは？

秀衡が死去してから一年半のあいだ、義経が何をしていたのかを明確に記録する史料は見当たらない。

だが、前項でもふれたように、「大将軍」となった義経が、のんびり平泉生活を楽しんでいたとは考えにくい。自分の居場所は、すでに頼朝の耳に入っていると知っていたろうし、奥州藤原氏が自分をかくまっていることで侵攻の危機にさらされているのもわかっていたはずだ。

義経が「政治オンチ」だったという説もある。しかし、頼朝に「日本一の大天狗」と呼ばれた後白河法皇が義経を「切り札」と頼《たの》んだことや、「北国の王者」秀衡が、実質的に奥州の命運を義経に託したことをみれば、けっしてそうとは言い切れない。平泉へ入ったときから、義経は頼朝との全面対決を想定していたとも考えられるのだ。

では、義経の作戦とはどんなものだったのか。

あくまで想像だが、平家打倒の合戦でみせたと同じ、機動力を重視した奇襲戦法が主体だったであろう。義経が連戦連勝した対平家の戦いは、ほとんどが少数の精鋭部隊を率いて敵の裏をかく奇襲であり、先手必勝の作戦だった。敵の陣地へひそかに近づき、予想外の状況で攻めこむ。だから効果的だった。

おそらく義経は、侵攻軍との正面衝突を避け、敵の油断を突くゲリラ戦法が有効と判断したと思われる。地理をよく知る地元の兵を活用すれば、伏兵や急襲も可能だろう。

しかし、問題なのは、この戦いが防御戦だということだ。

防御ラインを引き、鎌倉の大軍を迎え撃つ状態で、そうした奇襲作戦がとれるかどうか。しかも、義経の戦法は鎌倉の軍勢に知れわたっているから、出し抜くのはむずかしい。それに加えて、侵攻してくる鎌倉の武者たちは、平家の戦いで経験を積んだ猛者《もさ》ばかりだ。百年ものあいだ戦《いくさ》がなかった奥州軍団が、どこまで通用するかは心もとない。

日本で最初に「兵農分離《へいのうぶんり》」の軍団を組織したのは、戦国時代の織田信長《おだのぶなが》であり、奥州十八万騎といっても、実情は農業などとの兼業で、プロの兵士ではない。農繁期《のうはんき》なら集まる軍勢の数も減る。「大将軍」として全軍を指揮するとしても、義経の高等戦術を行きわたらせることができただろうか。

こうしてみると、義経の側には不安な要素がいっぱいだ。

おそらく義経は、秀衡の遺命《いめい》を守ろうと、必死に不安要素を消し去ろうと努力したのではないだろうか。天才的戦術家の腕の見せどころである。結局、義経の戦術は日の目を見ることはなかったが、もし、奥州軍団が義経の指揮のもとで頼朝軍を迎え撃ったら、歴史は大きく変わっていたことだろう。

50　泰衡の軍勢に討たれた義経終焉の地は「高館」ではない!?

文治五年（一一八九）閏四月三十日、義経主従は泰衡が派遣した軍勢の襲撃を受ける。『義経記』では「寄手《よせて》三万騎」などと書いてあるが、実際には『吾妻鏡』にあるように数百騎ほどだったろう。対する義経の郎党は、『尊卑分脈《そんぴぶんみゃく》』によれば、わずか「二十余人」である。

襲撃を受けたとき、義経がいた場所は『吾妻鏡』では「衣河館」と記され、『義経記』

高館義経堂にある義経像（岩手県平泉町）

などでは「高館《たかだち》」と書いてある。現在の岩手県平泉町には、中尊寺の東に「高館」の丘陵《きゅうりょう》があり、義経の木像をまつる「義経堂《ぎけいどう》」が建っているので、訪れた観光客は、「ここで義経が最期を迎えたのか」と、つい感慨《かんがい》にふけってしまうかもしれない。

ところが、実は衣河館と高館はまったく別物と考えたほうがよさそうなのだ。

衣河館は『吾妻鏡』の原文には「民部少輔基成朝臣《あそん》館」とある。これは秀衡の妻の父である藤原基成の館ということだ。北上川の支流である衣川は中尊寺の北を流れており、胆《い》沢《ざわ》郡と磐井《いわい》郡の境界だったとされる。衣河館はそのあたりにあったわけだが、現在は北上川の流れが地形を変えたため、どこにあったかはわかっていない。

では、現在、義経堂がある「高館」には何があったのか。『吾妻鏡』をみてみよう。

「金色堂の正方（正面）、無量光院《むりょうこういん》の北に並んで宿館をかまえる。これを平泉館と呼ぶ。西木戸に長男・国衡の館があり、同じく四男・隆衡の館が並んでいる。三男・忠衡の館は泉屋の東側にある。無量光院の東門に一郭をかまえて伽羅御所《からごしょ》と呼び、秀衡は普段の居所にしている。のちに泰衡が相続《そうぞく》してここを居所とした」（文治五年九月十七日の条）

この説明だと、現在の「高館」にあったのは、秀衡ほか奥州藤原氏一族が暮らしていた「平泉館」だったことがわかる。

つまり、襲撃時に義経がいた「衣河館」と、奥州藤原氏の中枢だった「平泉館」がいつの間にか混同《こんどう》され、平泉館＝高館で義経が死んだという俗説《ぞくせつ》が生まれたのだ。『義経記』では、義経が平泉に到着したあと、衣川に館を新築したことになっていて、それが高館＝衣河館のように思われがちだが、『義経記』はあくまで伝承文学だということを忘れてはならない。

もちろん、正史とされる『吾妻鏡』にも作為《さくい》はあるので、鵜《う》呑《の》みにするわけにはいかないが、少なくとも占領報告として記録された文治五年九月十七日の記事は伝聞《でんぶん》ではないわけで、高館の位置に平泉館があったのは事実と思われる。

義経が最期を迎えた衣河館は、北上川の流れに削り取られ、伝説のみが残ったのだ。

51 弁慶の立ち往生伝説はどうして生まれた？

「弁慶の立ち往生《おうじょう》」といえば、『義経記』巻末のハイライトだ。その最期は、まさに超人的で、義経の悲劇をより際立たせている。簡単に再現してみよう。

泰衡軍の襲撃を受けたとき、弁慶は黒糸縅《くろいとおどし》の鎧を身につけていた。据金物《すそかなもの》は銀色で、金色の蝶《ちょう》が三つずつ打ちつけてある。弁慶は敵をあざ笑うかのように自慢の舞を約四時間にわたって披露したあと、「では、手並みをみせてやろう」といいながら鈴木兄弟と馬を並べて進み出る。弁慶が太刀《たち》を振りかぶって大音声《だいおんじょう》を発しながら馬を走らせると、まるで秋風に木の葉が吹き散らされるように敵が逃げていった。

やがて乱戦がはじまり、弁慶は手傷を負いながら鬼神のごとく奮戦した。したたり落ちる血を見て猛《たけ》り狂うようすに寄手は近づけない。何度も倒れるような素振りをみせては立ち上がり、河原を走りまわる弁慶の前に敵はいなかった。

寄手を追い払いながら味方の陣に戻った弁慶は、義経と別れの言葉をかわす。

「殿が先に死なれましたら、死出の山でお待ちください。もし私が先に死にましたら、三《さん》途《ず》の川でお待ちしましょう」

義経が「経を読み終えるまで死守せよ」と命じると、弁慶は「承知」と答え、名残惜しげに義経を見つめ、外へ飛び出していく。長刀《なぎなた》の柄《え》を踏み折って扱いやすくした弁慶は、兵も馬も手当たりしだいに斬りまくる。身体に刺さった無数の矢が邪魔だと折り曲げたので、まるで蓑《みの》を逆さまに着たような姿になっていた。

やがて弁慶は、一声笑うと長刀を杖《つえ》のように逆さまに突き、敵をにらんで仁王《におう》（金剛力士《こんごうりきし》像）のように突っ立った。

敵は、近寄らず遠巻きにして警戒していたが、ある者が「剛《ごう》の者は立ったまま死ぬというぞ。ようすをみてこい」といったので、若武者が馬で近づいてみると、たしかに死んでいる。馬に触れて弁慶が倒れると、長刀を握ったまま硬直《こうちょく》していたために、まるで振り回すように見えたので、敵は「また暴れるぞ」と恐れて跳びあがるように後ろへ下がった。

しかし、弁慶は倒れたまま動かない。ほっとしたように駆け寄った敵兵は、「主君が自害するまで館に近づけまいとして立ち死にしたのか」と感嘆したという――。

まさに壮絶な最期だが、はたして弁慶は本当に立ち往生したのだろうか。

もちろん、『吾妻鏡』などの史料に記録はない。義経伝説、弁慶伝説をつくりあげた『義経記』の創作である可能性は高いだろう。ただ、ラストを盛りあげるためとはいえ、まるで「見てきたような」描写《びょうしゃ》を読むと、それに近い状況があったのかもしれないとも思えてくる。「死んでも主君を守る」という後世の武士道に通じるような弁慶の姿が人々を感動させ、伝説として定着していったのだろう。

ちなみに、京都市中京区三条麩屋《ふや》町東に「弁慶石」があって、衣川の戦いに立ち往生した弁慶がこの石になったという伝説も残っている。

52 義経の首は偽物だった⁉ 影武者説の真偽

大将と顔だちや背格好が似ている家臣を影武者に仕立てるのは、戦国時代ならおなじみの危機管理術だ。古くは平安時代中期の平将門《まさかど》に七人の影武者がいたという伝説があり、義経にも影武者がいたという言い伝えがある。その根拠になっているのは、義経の首をめぐる謎だ。

泰衡の手勢の襲撃を受け、持仏堂《じぶつどう》にこもった義経は、まず妻子を殺すと、老臣・増尾十郎兼房《ましおじゅうろうかねふさ》の介錯《かいしゃく》で自害した。兼房が放った火で持仏堂は紅蓮《ぐれん》の炎に包まれたという。

義経の首は黒漆の櫃《ひつ》に納められ、「美酒」に浸して鎌倉へ送られる。酒に浸すのは腐敗《ふはい》を防ぐためで、泰衡は義経を殺した証拠として首を差し出したのだ。

義経の首は、六月十三日、泰衡の使者・新田冠者高衡《にったかじゃたかひら》によって腰越《こしごえ》（神奈川県鎌倉市）

義経の首を埋めたと伝わる白旗神社（神奈川県藤沢市）

まで届けられ、和田義盛《よしもり》、梶原景時《かげとき》らが確認した。変わりはてた御曹司の首を見て、「その場にいた者は涙をぬぐい、袖《そで》を濡《ぬ》らした」と『吾妻鏡』は書いている。

しかし、その首が義経のものと本当に確認できたのだろうか。義経が自害したあと、持仏堂は焼け落ちたため、遺体はかなり損傷していたはずだ。さらに、平泉から腰越に到着するまでおよそ一カ月半もかかっている。酒に漬けたといっても、旧暦六月は今の七月で、暑くなってくる季節だから、少なからず腐敗はまぬがれなかったはずである。

そこで登場するのが、「義経の影武者」杉《すぎ》目《のめ》太郎《たろう》行信《ゆきのぶ》の存在だ。行信は奥州杉妻《すぎのめ》城（現在の福島市）の城主で、義経の母方の従兄弟だったため、年齢や背格好が似ていたらしい。

実は黒漆の櫃に入れられた首は、行信のものだというのだ。

宮城県金成《かんなり》町の津久毛橋《つくもばし》城跡付近は、泰衡の軍勢と頼朝軍が激突した古戦場といわれ、『吾妻鏡』にも戦いのようすが記録されているのだが、その津久毛橋城跡に杉目行信の墓があり、地元では昔から行信が義経の身代わりになって死んだと語り継がれているという。

つまり、こういうことだ。泰衡の裏切りは頼朝をあざむくための芝居で、義経はすでに平泉を去り、北へ向かっていた。頼朝を納得させる必要があった泰衡は、「義経の首」をでっちあげることにし、そのために選ばれたのが杉目太郎行信だった。腐敗が進んでいたために和田義盛らは、それを見抜けなかったというわけだ。

この話は、江戸時代の享保《きょうほう》二年（一七一七）に京都の加藤謙斎《かとうけんさい》が書いた『鎌倉実記《かまくらじっき》』などで紹介されている。ただ、真偽のほどは不明で、数ある義経伝説のひとつと考えたほうが無難《ぶなん》といえるだろう。

53 義経を守って戦った郎党たちの最期は？

『尊卑分脈《そんぴぶんみゃく》』によれば、泰衡の軍勢が衣河館を攻めたとき、対する義経の郎党は「二十余人」だったという。『義経記』では武蔵坊弁慶、片岡八郎《かたおかはちろう》、鈴木三郎《すずきさぶろう》・亀井六郎《かめいろくろう》兄弟、鷲《わし》尾三郎《おさぶろう》、増尾十郎、伊勢三郎、備前平四郎《びぜんへいしろう》の八人が守ったことになっている。

義経に従っていた常陸坊海尊ほか十一名は、その日の朝、近国の山寺へ参拝に出かけていたのだが、途中で噂を聞いたのか、そのまま帰らず行方知れずになった。その後、常陸坊は仙人になったとか、人魚の肉を食べて不老長寿《ふろうちょうじゅ》になり、義経の物語を伝えたという伝説に発展している。

『義経記』が描く義経郎党の最期をみてみよう。

鈴木三郎重家《しげいえ》は寄手の照井太郎《てるいたろう》と組み合い、逃げる相手を追いかけたが、右の肩先を斬られ、敵の死骸《しがい》の上に腰掛けると「亀井六郎、犬死にするな。重家は討死するぞ」といって、腹をかき切って倒れ伏した。

亀井六郎重清《しげきよ》は兄の死を見届けると、鎧の草摺《くさずり》を引きちぎって捨て、大勢のなかへ突入した。敵三騎を討ち取り、二騎に傷を負わせたものの、無数の矢を受け、切腹して兄と同じ場所に枕を並べて倒れた。

備前平四郎定清《さだきよ》も討死し、片岡八郎弘経《ひろつね》と鷲尾三郎義久《よしひさ》は背中合わせの一組になって応戦する。鷲尾は敵を五騎討ち取って戦死、片岡は敵を六騎討ち取り、気がすむまで戦うと、致命傷を受けたと悟って自害した。この間に伊勢三郎義盛《よしもり》も討死している。

『義経記』では増尾十郎兼房が義経の最期を見届けたことになっていて、義経が切腹の作法を聞くと、「京都で佐藤忠信がやったのを、人々はのちのちまで褒めておりました」と答える。

義経は「それなら簡単だ。傷口が広ければいいのだな」といって、鞍馬寺の別当からもらった守り刀を握り、左の胸の下へ突きたてると、傷口を三方にかき破って腸をえぐりだした。しかし、『義経記』の義経は伝説の英雄だから、なかなか死なない。

刀を袖でぬぐって膝の下へ隠すと、衣服をはおって脇息にもたれかかった義経は、妻子を呼ぶと今生《こんじょう》の別れを告げ、兼房の手であの世へ送らせる。ちなみに『吾妻鏡』によれば、義経が切腹前に妻子を殺したという。

虫の息の義経は、妻子の死を確認すると「邸に火をかけろ。敵が近づくぞ」といってこと切れた。兼房はその言葉どおりに火を放ち、外へ出る。するとそこに敵の長崎太郎、次郎兄弟がいたので、兼房は次郎を馬から引きずり下ろすと、左脇に抱えたまま炎のなかに飛び込んだ。老臣・兼房の壮絶な最期だった。

弁慶の墓といわれる石碑が中尊寺参道入り口にあるのはよく知られているが、その南にある金鶏山《きんけいざん》の麓《ふもと》には、「伝・義経妻子の墓」がひっそりと建っている。以前は山の中腹にあったそうで、寄り添うような二つの小さな五輪塔は、衣川の悲劇を物語っているかのようだ。

54 義経討伐の真の黒幕は誰なのか？

頼朝が義経をしつこく追討しようとしたのは、深刻化した兄弟どうしの確執《かくしつ》に加え、「謀反人を放っておくわけにはいかない」という権力者としての大義名分からだった。そして、その裏には、いまだにくすぶっている京都や西国の反頼朝勢力への警戒心があった。遠い奥州の地に逃れた義経は、考えようによっては、放っておいてもかまわない存在だったかもしれない。

頼朝は、文治二年（一一八六）四月、秀衡宛ての外交文書で次のように書いている。「御館(秀衡)は奥六郡の主。与(頼朝)は東海道の惣官なり。尤《もっと》も魚水の思いを成すべきなり」つまり、奥州の盟主としての秀衡を認め、「魚心あれば水心、そちらの態度が好意的なら、こちらもそれに応じた対応をする」といっているわけだ。そのうえで、頼朝は「今後は朝廷への貢ぎ物を送る場合、鎌倉を経由するように」と求めている。これは、平泉と京都の連携を断ち切るための要求だった。

ところが秀衡は、あっさりこの要求に従い、その年の五月には、貢馬三頭と貢金三棹を運ぶ使者が鎌倉に到着する。この段階で、秀衡には頼朝を倒そうと南下する意思はなかったのだ。「おっしゃるとおりにいたしましょう」とはぐらかすことで、奥州王国の独立、鎌倉政権との並立を表明したともいえるだろう。

となれば、頼朝には、あえて火中の栗《くり》を拾わず、政権安定を優先させて、奥州を無視する選択もあったはずだ。たしかに義経が力を回復して奥州軍団を率いるようになれば、危険である。ただし、それまでには時間がかかるだろうし、秀衡自身に動く意図がないのなら、「しばらくはようすをみよう」と考えてもおかしくない。

しかし、頼朝は、まるで蛇のような執念で、慎重な態度をとりつつも義経追討をあきらめず、平泉に圧力をかけつづけている。

ここで考えられるのは、実は頼朝の背後には黒幕がいて、ハッパをかけていたのではないかということだ。

もし、黒幕がいるとしたら、その人物は北条政子《ほうじょうまさこ》以外には考えられないだろう。

政子は北条時政の娘で、流人時代の頼朝と知り合い、駆け落ちに近い形で結婚した。頼朝挙兵がなければ、そのまま在地豪族の妻として地味な生涯を送っただろうが、運命は一変し、「権力者の妻」となった。嫉妬《しっと》深い政子は、その地位を脅かす者を排除するためなら何でもしたのではないだろうか。

静御前が鶴岡八幡宮で舞を踊ったとき、政子は憤慨《ふんがい》する頼朝に対し、「義経を恋慕《こいした》わなければ貞女《ていじょ》ではない」といさめている。しかし、政子は心の底で冷たい嫉妬心を燃やしていたと思われる。

頼朝は落馬がもとで死去したといわれているが、詳しい事情は不明である。そのあとを取り仕切ったのが政子だったのをみると、頼朝・義経兄弟を滅ぼしたのは彼女と北条一族だったという想像も成り立つような気がしてならない。

また、それとは別に奥州側の視点から見てみると、泰衡の背後には秀衡の義父《ぎふ》にあたる藤原基成が暗躍していた可能性がある。長年奥州藤原氏との親交がありながら、秀衡の遺言で義経に後事を託されたのであれば、基成にとっておもしろいはずがない。孫にあたる若い泰衡をそそのかし、義経殺害に一枚かんでいたとも考えられる。

55　奥州藤原氏があっけなく滅んでしまったのはなぜ？

義経の首を鎌倉へ送ったあと、泰衡は義経に加担した弟の忠衡も殺したといわれる。しかし、泰衡のもとには頼朝からのお褒《ほ》めの言葉もなければ恩賞も届かなかった。

文治五年（一一八九）七月十九日、頼朝は二十八万四千騎の大軍を率いて奥州へ進発する。このとき、頼朝は奥州征討の院宣を要請したが、朝廷は「義経も死んだし、目的は達成されたのでは」と二の足を踏み、そうこうしているうちに、進軍がはじまってしまった。結局、朝廷は押しきられるかたちで仕方なく追認の院宣を出している。

鎌倉の動きを知った泰衡は、国衡とともに出陣し、現在の宮城・福島県境の付近に防衛ラインを引いて待ちかまえた。奥州勢は『吾妻鏡』によれば二万騎といわれる。

頼朝軍の二十八万四千騎は、いかにも誇張されている数字と思われるが、慎重な頼朝なら十万騎前後は動員したかもしれない。

泰衡の戦術は、奥州ならではの険しい地形を活かした迎撃《げいげき》戦法だったが、これだと逆に馬を巧《たく》みに操る奥州軍団の特徴が殺されてしまう。八月八日から三日間にわたる戦いで、陣地に張りついた奥州勢は圧倒的な頼朝軍の攻撃を受け、主導権を握れないまま惨敗し、泰衡も本陣を引き払うと北方へ逃亡していった。

主《あるじ》がいない平泉の館は頼朝軍に無血で占領され陥落《かんらく》する。その後も逃げつづけた泰衡は、秋田・比内《ひない》郡の領主・河田次郎《かわだじろう》に援助を求めるが、裏切りにあって殺されてしまった。ちなみに恩賞目当ての河田次郎は泰衡の首を頼朝へ届けたところ、かえって「不忠者《ふちゅうもの》」とののしられ、斬首《ざんしゅ》されてしまったという。

泰衡の首は、長さ八寸（約二五センチ）の鉄釘を額《ひたい》に打ちつけて晒《さら》された。これは、かつて前九年の役（一〇五一～六二）で源頼義が安倍貞任《あべさだとう》を討って梟首《きょうしゅ》したときにならった

頼朝奥州征討軍の進路
贄冊（藤原泰衡最期の地）
厨川冊
陸奥
北陸道軍
（比企能員）
出羽
平泉
念珠関
多賀
阿津賀志山
越後
白河関
下野
勿来関
宇都宮
常陸
大手軍
（頼朝）
上野
信濃
東海道軍
（千葉常胤）
武蔵
甲斐
下総
鎌倉
上総
駿河
相模
安房
伊豆

ものだった。

こうして奥州藤原氏は滅亡したわけだが、かつて頼朝が恐れた奥州軍団は、実にあっけなく敗退した。動員した兵力の数が違いすぎたこともあるだろうが、頼朝軍圧勝の要因は、慎重なうえに周到な準備があったからともいえよう。

奥州征討にあたり頼朝は、軍を三つに分けて北上させている。そのコースは、おもしろいことに、現在のＪＲの鉄道路線とほぼ重なるのだ。本隊は東北本線、東海道軍は常磐《じょうばん》線、北陸道軍は上越線・羽越本線に沿ったルートをたどって進軍している。鉄道が敷設されるぐらいだから、その道は大軍を進めるのにもっとも効率のいいルートだったはずだ。これだけをみても、頼朝が奥州の地形や情報をあらかじめ分析したうえで出陣したことがわかるわけで、あとは精強な征討軍に実力を発揮させればよかったのである。

「もし、義経がいたら」という仮定は、想像するしかない。しかし、実戦経験もとぼしく、ましてや百年の平和に慣れてしまった奥州兵では、結局、頼朝軍にはかなわなかっただろう。秀衡という巨星が墜ち、義経がこの世を去った段階で、奥州藤原氏の命運は尽きていたのだ。

第6章

義経のイメージを覆す史実とスキャンダルの謎

56 悲劇の英雄・義経は「美男」か「醜男」か？

源氏に勝利をもたらした天才戦術家である義経は、「美男《びなん》」であったとする説と、「醜《ぶ》男《おとこ》」であったとする説とがある。本当のところ、義経はどんな容姿《ようし》だったのだろうか。

美男子とする理由は、母の常盤御前《ときわごぜん》が、京の都でも評判の美人だったことによる。『義《ぎ》経記《けいき》』（巻第一）によれば、「常盤」と申すは日本一の美人なりとある。久安《きゅうあん》六年（一一五〇）に、藤原家（九条家）の呈子《ていし》が近衛《このえ》天皇の中宮となったのに際して、雑色《ぞうしき》（姫に仕える女性）を募集した。千人集まった美女のうち、当時十三歳の常盤が、ひとり選ばれた。その美女の息子であるから美男であろうというのだ。

「義経は、戦のたびにドレスを替えた。平家も、自分たちはダンディーだと思っていたが義経にはかなわない」（司馬遼太郎『義経と静御前』朝日文庫・司馬遼太郎全講演3所収）ともいわれるように、また、義経の評判は戦《いくさ》でのきらびやかないでたちも義経美男子説に関与していたらしい。

一方、義経は「醜男」であったとする説もある。その根拠とされるのは、『平家物語』の記述で、「越中の次郎兵衛《じろうびょうえ》盛嗣《もりつぐ》申しけるは、『九郎判官は色白き男の、たけ低く、向かふ歯二つさし出でて、ことにしるかんなる。心こそ猛くとも、何事のあるべき。目にかけて、ひつ組んで海に入れや、殿ばら』とぞ申しける」（巻十一）といった記述が見られる。この発言は、平家が壇ノ浦の一戦に賭けるまさにそのとき、越中の次郎兵衛が、敵方の総大将の義経をけなしての発言であるから、正確な義経の容姿の説明というよりは、戦いの前に敵方をおとしめ味方の士気を高めた意味合いが強い。

また、『源平盛衰記《げんぺいじょうすいき》』でも「面《おも》長うして身短く、色白うして歯出でたり」の記述がみられる。ほかにも「今日は九郎判官、先陣に供奉《くぶ》す。木曾なんどには似ず、ことのほか京慣れたりしかども、平家には似も似ず劣りたり」（『平家物語』巻十）とあり、義経は京に慣れているが、田舎者《いなかもの》の木曽義仲よりはという程度で、平家の公達《きんだち》に比べると劣っているという。つまり、『平家物語』での義経は、後世に伝えられている美男像とは異なっている。

では、本当のところ、義経はどんな容姿だったのだろうか？

テレビや写真もない時代では、人物の容姿は、その人物の功績と評判、風評《ふうひょう》により印象づけられた側面が大きいのではないか。

義経の世間での評判、つまり、「天才的戦術による合戦での勝利」「源氏の棟梁《とうりょう》・義朝の遺児《いじ》」「きらびやかな数々の衣装」「当代一の白拍子《しらびょうし》、静を愛人とした」という、華々しい評判。加えて、「数奇な境遇と生い立ち」「父・義朝の仇討ち」という同情、いわゆる「判官びいき」によって、「義経は美男子である」という伝説になっていったのではないか。結局、具体的な顔立ちや体つきというより、雰囲気と印象、評判と同情によって、義経は「美男」であったとし、義経に対立する勢力からは「醜男」とされたのではないだろうか。(岡田博子)

57 日本人がこよなく愛す義経はどのような性格だった?

義経は奇襲《きしゅう》戦を得意とした。つまり、論理的、合理的に考えたうえで相手を追いつめていく、というより、一か八かの賭けに打って出ることを優先した。そのため、結果は出たとこ勝負ということになり、良い結果に結びつくと、論理的ではないだけに、敵は思いもよらないので、あっと驚く大勝利をあげることになる。

ただ、こうした戦いぶりは、いわばカンが頼みだから、いつも成功するとはかぎらない。ところが、義経の場合、平家相手の大いくさですべてが的中した。義経は戦術の天才だったのだ。

こうした戦いぶりから推察される人物像としては、論理的思考よりも動物的カンにすぐれた人物、言い換えると冷静な理性よりも感覚、感情を優先する人物像が浮かんでくる。

事実、『平家物語』には「なさけふかき人」と評価される。これは、親幕派の公卿《くぎょう》・九《く》条兼実《じょうかねざね》が、「威勢厳粛《いせいげんしゅく》、其性強烈《そのせいきょうれつ》、成敗分明《せいばいぶんみょう》、理非断決《りひだんけつ》」（『玉葉《ぎょくよう》』）と評した、冷静な論理的思考を優先する頼朝とは正反対の性格ということがわかる。兼実は義経については「武勇と仁義とにおいては、後代の佳名を残すものか」と記している。

ひとつひとつの合戦では、動物的なカンによって天才的な才能を発揮した義経だったが、それは合理的な思考に支えられたものではなかった。したがって、義経は論理的思考をはたらかせて、物事のなりゆきを分析するということが苦手だったのではないだろうか。そのため、政治家としての才能には欠けていた。

義経には、主従制を細部にまで行き渡らせることで、源氏嫡流が支配する武家政権を確立しようとした、頼朝の意図を、最後まで理解することができなかったのである。たぶん義経は、頼朝を兄としてしかみておらず、最後まで自分の主人であるという認識をもつことができなかったのだろう。

頼朝の誤解を解くために書かれた、有名な「腰越状《こしごえじょう》」にも、「平家討伐という大功をもって罪を許してほしい」との嘆願のみであり、頼朝の認可を受けずに任官したことについては反省がなく、頼朝の真意を理解した内容は書かれていない。

このようにみれば、義経が日本人に偏愛《へんあい》されるのも、なんとなくわかるような気がする。義経は戦術は得意だが、戦略は苦手といわれる、日本人の典型ではないか。太平洋戦争開戦時、真珠湾攻撃などで奇襲戦法により大いに士気をあげた日本軍だが、その後の展開を見据《す》えた戦略のなさにいつしか不利な戦局となる。しかし、そういった状況下でも対策としてとられたのは、劣勢を挽回《ばんかい》するための合理的手段よりも、「神風《かみかぜ》」や「大和魂《やまとだましい》」などという感情的な精神論であった。

われわれは、義経にみずからを見ているのかもしれない。「判官びいき」とは、今の日本人の「自己愛」の現われといってでも過言ではないだろう。　（財前又右衛門）

58 義経が陰陽師から兵法を盗んだ奇策

宇治川、一の谷、屋島、そして壇ノ浦と数々の合戦に快進撃を続けた義経がよりどころとした兵法は、一条堀川の陰陽師《おんみょうじ》・鬼一法眼《きいちほうげん》が秘蔵する太公望《たいこうぼう》の『六韜《りくとう》』という兵書から学んだものであった。

『六韜』は、古代中国の周王朝の軍師・太公望呂尚《りょしょう》の秘伝の兵法書で、孫子《そんし》など七つの兵法書のひとつである。「文韜《ぶんとう》」「武韜《ぶとう》」「竜韜《りゅうとう》」「虎韜《ことう》」「豹韜《ひょうとう》」「犬韜《けんとう》」の六つからなり、「文韜」は武力によらない兵法、そのほかは、動物の習性から名づけられている。

たとえば、「虎韜」は、虎は威猛く人をおそれぬところから、危うきにあって武威《ぶい》を張り、

鞍馬山内にある鬼一法眼社（京都市左京区）

動じずにいる法を説いている。ちなみに『六韜』の「韜《とう》」とはもともと弓袋《ゆみぶくろ》を意味している。この兵法書は平安時代の坂上《さかのうえの》田村麻呂《たむらまろ》や平将門《まさかど》も学んだと伝えられる。

義経（当時十七歳）は、この兵法書を鬼一法眼が拝領し、秘蔵していることを知って、奥州の藤原秀衡《ひでひら》のもとから一度都に戻り、この兵書を見ることを鬼一法眼に懇願するが、鬼一法眼は義経に見せることをかたくなに拒否した。

手だてのないままの義経であったが、懇願する義経の姿に同情した鬼一法眼の家に仕える下女の「幸寿《こうじゅ》の前」の手引きで、義経は、法眼の末娘で十六歳になる皆鶴姫《みなづるひめ》に文を送るなどして、皆鶴姫を恋人にする。義経は姫に「我は六韜に望みあり。さらばそれを見せてんや」（『義経記《ぎけいき》』）と告げ、皆鶴姫に兵書を持ち出させた。そして七月上旬から読みはじめ、十一月十日ごろには全十六巻すべてを鏡に映すように、はっきりと理解できる状態になっていた。

それを知った鬼一法眼は、怒りに震える。しかも義経が義朝の遺児であることも知り、義経を婿に迎えたことを、平家方が知れば自分にとってよいことなどないと思い、義経を斬って平家にその首をお目にかけ恩賞にもあずかろうと画策する。しかし、自分は義経に対して力量も資質もおよばないと思った鬼一法眼は、娘婿で頼りとする弟子の湛海《たんかい》に義経殺害を命じる。しかし、皆鶴姫がこの策略を事前に義経に伝え、湛海は義経に討たれてしまう。

その後、義経は皆鶴姫と別れを惜しみつつ、黙って山科の隠れ家へ逃れ、やがて奥州平泉へと去った。『義経記』によれば、皆鶴姫は義経を慕うあまり、悲しみにくれ恋焦がれて死んでしまったと伝えている。

『六韜』十六巻をすべて暗記してしまった義経は、その後数々の戦いを撃破していったのである。

ただ、鬼一法眼は『義経記』以外に記述はなく、伝説上の人物だったとも伝えられ、皆鶴姫もまた伝説上の人物だったともいわれている。

（岡田博子）

59 気仙沼に義経の子孫が実在する？

義経の子孫が今も宮城県の気仙沼市《けせんぬま》にいるのでは……と伝えられている。というのも、先に紹介した義経の恋人皆鶴姫が当地で義経の子を産んだと伝わっているからだ。

陰陽師・鬼一法眼秘蔵の兵書『六韜』を、鬼一法眼の末娘皆鶴姫を利用して盗み読むことに成功した義経は、その後、山科の隠れ家を経て奥州平泉へと逃れ去った。のちに残された皆鶴姫は義経を恋うあまり、恋焦がれて死んでしまったとも伝えられる一方、義経のあとを追って旅に出て、気仙沼まで来たものの、力尽きて当地で倒れてしまったともいわれる。

『絵本　皆鶴姫』(気仙沼民俗資料館建設運動促進委員会編）によれば、義経に兵書を見せたことに怒った鬼一法眼は、皆鶴姫を「うつぼ舟」に乗せて九十九里浜《くじゅうくりはま》から流し、皆鶴姫は気仙沼の母体田《もたいだ》の浜に打ち上げられたという。皆鶴姫の姿があまりに高貴《こうき》であったため、村民は何か不吉なことが起こるのではないかと恐れ、助けあぐねていたが、老爺《ろうや》と老婆《ろうば》がこれをたしなめ、皆鶴姫を介抱し助けた。姫はその後、玉のような男の子を出産したと伝えられている。

平泉ですごしていた義経は、皆鶴姫の夢を見て馬を走らせ、急ぎ母体田の浜に向かった。しかし、到着したときには姫は息を引き取っていたと伝えられる。

今日、皆鶴姫を葬った場所は気仙沼の観音寺に「仏祖《ぶっそ》」として残る。また、姫が流されるときに母が一体の観音像を姫に渡したといい、観音寺には、その観音像がまつられているほか、義経の笈《おい》と皆鶴姫が乗ってきたという「うつぼ舟」の船板も残されている。

この皆鶴姫についての伝説は、気仙沼以外にも多く伝えられ、岩手県室根村にも姫の最期を哀《あわ》れんだ村人が、「ホコラ」を建て皆鶴神社としてまつっている。

また、皆鶴姫が義経を追ってきたのは、現在の福島県河東町《かわひがし》であったともいわれ、皆鶴姫の碑（墓）は町指定有形民俗文化財となり、供養祭も毎年開かれている。

ほかにも、福島県会津若松市柳原町には、義経と皆鶴姫との子とされる帽子丸の墓や、同市一箕町松長には、義経を慕《した》い嘆《なげ》いたとされる「よばり橋」の跡が残されている。

このように各地に義経と皆鶴姫の伝説が残されており、子孫がひそかに今日まで残されているとまことしやかに伝えられているのである。

しかし、皆鶴姫そのものが伝説であったともいわれ、数多くの碑や神社が残されているにもかかわらず、真偽は定かではない。

（岡田博子）

60　義経が「笛の名手」って本当？

「人の宝とは何でも千そろえるものだ、それが証拠に奥州の藤原秀衡は名馬千匹、筑紫《つくし》の菊池《きくち》は鎧千領を持っている。ならば自分は、千振りの太刀を」と思い立ったのが、武蔵坊弁慶。ところが、金がないので買うことはできない。そこで、夜な夜な人の持つ太刀を奪うことにした。九百九十九本集まり、これが千振りめの太刀の持ち主と目をつけたのが、牛若丸だった。

『義経記』によれば、このとき、弁慶が闇夜《やみよ》で人がやってくるとわかったのは、笛の音によってであった。その笛の音を、『義経記』では「面白き笛の音」と評する。高校の古典でしつこく説明されるので覚えている人も多いだろうが、「おもしろし」とは現代語の意味とは違い、「趣《おもむき》がある、風情《ふぜい》がある」の意。義経は若かりしころから笛の名手だった。

『義経記』には、このくだりも含めて、六回にわたり義経が笛を吹く場面がある。たとえば、頼朝に追われ奥州に逃亡する義経一行は、義経の希望で越前《えちぜん》国平泉寺《へいせんじ》（福井県勝山市）に参詣する。しかし、すでに鎌倉からの手配があり、寺の衆徒《しゅうと》はこれが義経一行に間違いないと察し、あわや一合戦におよぶかという切迫《せっぱく》した場面となる。

この場を救ったのが、弁慶の機転と山伏《やまぶし》に扮した義経の笛であった。「面白しと言ふも愚かなり」というほどのすばらしい、その笛の音は、居合わせた衆徒たちを「あわれ笛の音や（「あはれ」は感動したときに発せられる言葉）」と感嘆させて、緊迫した雰囲気を和らげてしまう。

今でも義経の笛といわれるものが現存する。たとえば、須須《すず》神社（石川県珠洲《すず》市）の「蝉《せみ》折れ」、普賢院《ふけんいん》（兵庫県姫路市）の「青龍《せいりゅう》」、久能寺《くのうじ》（現在の鉄舟寺・静岡市）の「薄墨《うすずみ》」などである。

薄墨の笛は、悲恋《ひれん》物語が伝えられる。義経が奥州に落ちる途中、三河《みかわ》国矢作《やはぎ》（愛知県岡崎市）の兼高《けんこう》長者の家を宿とした。そこには、兼高夫婦が祈願の末授《さず》かった美しい娘・浄《じょう》瑠璃姫《るりひめ》がいた。彼女は琴の名手であり、義経は笛を吹いて合わせるうちに、男女の仲となってしまう。しかし、義経は長くこの地にいられるわけもなく、薄墨の笛を形見として与えて立ち去る。義経を慕う浄瑠璃姫は、とうとうそのあとを追って矢作を発《た》つが、追いつくこともできずに、悲しみのあまり川に身投げしてしまう。時に十七歳と伝えられる。

また、神奈川県鎌倉市の満福寺《まんぷくじ》では、義経が「腰越状」をしたためたとされる六月に、年中行事として「笛供養」が行なわれている。

『義経記』をはじめとして、これらの伝承が史実であるかどうかは、はなはだ疑わしい。

しかし、源義家や頼朝が歌に秀でていたなど、文武両道に優れていることがすぐれた武士の条件であったことを考えると、義経も単に戦に強いというだけでなく、文にも優れていたという大衆の期待が、「義経は笛の名手でもあった」という伝承を膨らませていったといえる。

（財前又右衛門）

61 義経の妹と弟はその後どうなった？

第1章の2の項（16ページ）でも紹介したが、義経には父親は異なるが、妹や弟がいたらしいことは、あまり知られていない。

もっとも妹については、『平家物語』『源平盛衰記』『吾妻鏡《あずまかがみ》』に記述があるが、系図の資料としてよく知られる『尊卑分脈《そんぴぶんみゃく》』には記載されていない。そこで、歴史的事実として本当に、義経に妹がいたかどうかを疑問視する向きもある。しかし、史実がどうかはともかく、妹がいたかもしれないということなら、どんな人物だったのか知りたいのが人情《にんじょう》というものだろう。そこで、『平家物語』『源平盛衰記』『吾妻鏡』を見ながら、その妹についてわかることをご紹介しよう。

平治の乱で捕えられた老母を助けるために、やむをえず六波羅《ろくはら》に出頭した常盤だが、その美貌に魅入られた平清盛は、七条朱雀《しちじょうすざく》に軟禁した彼女に盛んに恋文を送る。最初は、その恋情《れんじょう》をかたくなに拒《こば》む常盤だったが、義経を含む三人の幼子の命を守るため、とうとう清盛の思うがままとなる。そして生まれた女子が、義経の妹なのだ。

この妹は清盛の八女として育ち、のち左大臣花山院兼雅《さだいじんかざんいんかねまさ》の女房（貴族などの家に仕える女性。現在の意味とは異なる）となり、廊《ろう》の御方または三条殿と呼ばれた。ところが、主人兼雅と密通《みっつう》事件を起こし、娘を産んでしまう。まずいことに、この兼雅の正室・昌子《しょうこ》が清盛の長女だった。廊の御方は、昌子とその母・時子《ときこ》（清盛妻）の怒りに触れ、花山院家を追放される。

その後、建礼門院《けんれいもんいん》に仕えた彼女は壇ノ浦に落ちていき、奇《く》しくも建礼門院とともに、兄・義経の捕虜となる。建礼門院とともに都に帰ることになったが、都で義経との対面があったかどうかまでは不明だ。なお、廊の御方は和琴《わごん》の名手、能書家《のうしょか》としても知られている。

この妹は、さらに歴史の波に翻弄されたことが、次の『吾妻鏡』の記事によって知られる。「去る六日に一條河崎の観音堂のあたりで、義経の母と妹を見つけました。生け捕りにして関東に連行しましょうか」（文治《ぶんじ》二年〈一一八六〉六月十日条・京の警護から帰還した武士の報告）。これは、常盤と廊の御方のことと推測される。しかし、その後二人がどうなったかは『吾妻鏡』にも記載がない。

一方、義経のもうひとりの弟・藤原能成《よしなり》は応保《おうほ》二年（一一六二）、母・常盤の三度目の嫁ぎ先である大蔵卿藤原長成《ながなり》とのあいだに生まれた子である。頼朝と不和になったとき、義経の西国落ちに同行している。その後、都に戻り公家として平穏な生涯をすごしたあと、嘉禄《かろく》元年（一二二五）に六十三歳で出家し、「鷹司三位《たかつかさんみ》」と呼ばれた。義経の死から約五十年後の嘉禎《かてい》四年（一二三八）に亡くなっている。

だが、俗説ではこれ以外にも、父・義朝の末子で義経の弟にあたる人物が存在する。母は異なるが義朝の十男となる八田知家《はったともいえ》だ。平治の乱で父・義朝が敗死すると、母の実家宇都宮《うつのみや》氏に預けられ、「八田」姓を名乗った。頼朝挙兵後、御家人として平家討伐のため各地を転戦して活躍したが、義経同様、頼朝に無断で朝廷から官職をもらい、頼朝の怒りをかった。しかし、のちに許されて奥州藤原氏の討伐にも従軍している。（財前又右衛門）

62　安徳帝の母・建礼門院と義経の世紀のスキャンダルとは？

壇ノ浦合戦に敗れ、かねて覚悟を決めていた清盛の妻・二位尼《にいのあま》平時子《ときこ》（建礼門院の母）は、神璽《しんじ》をわきにはさみ宝剣を腰にさし、八歳の幼帝・安徳《あんとく》天皇を抱いて、「海の下にも都がある」と慰《なぐさ》めながら、ともに海に飛びこんだ。

みもすそ川公園内にある安徳帝入水の地（山口県下関市）

建礼門院はこのありさまをみて、焼き石・硯《すずり》を懐に入れて海へ身を投げたが、源氏方の渡辺党の源《げん》五《ご》右《う》馬允《まのじょう》昵《むつる》という武士が、誰とも知らずに髪を熊手《くまで》にかけて引きあげた。平家の女房たちが「ああ情けない。それは女院《にょいん》でいらっしゃいますよ」と口々にいったので、義経に申して、急ぎ御座所《ござしょ》になっている船に移した。

はからずも救助された建礼門院は、京都に送還され、やがて東山《ひがしやま》の長楽寺《ちょうらくじ》で出家し、ついで大原の寂光院《じゃっこういん》に移る。ここで安徳天皇の菩提および平家一門の亡魂《ぼうこん》をとむらい、仏道修行の日々をすごした。

そこに後白河法皇が訪ねてきた。粗末な庵《あん》室《しつ》で法皇と対面した建礼門院は、自分の生涯を回想《かいそう》し、自分は生きながら六道《ろくどう》を見たと語る。

六道とは、すべての衆生（多くの生きとし生けるもの）が生前の業《ごう》によって生死を繰り返す六つの迷いの世界で、地獄《じごく》・餓鬼《がき》・畜生《ちくしょう》・修羅《しゅら》・人間《じんかん》・天上《てんじょう》の六つをいう。

平清盛の娘として生まれ、天皇の国母となってからの楽しい日々を天上界になぞらえ、木曽義仲に追われて都落ちしてからは、人間のもっている愛別離苦《あいべつりく》、怨憎会苦《おんぞうえく》などのいわゆる四苦八苦《しくはっく》を知った。これが人間道だと語る。次に太宰府《だざいふ》から屋島までの船中で味わった飢渇《きかつ》の苦しみを餓鬼道になぞらえ、戦いそのものを修羅道になぞらえて、壇ノ浦での最後の合戦は地獄道そのものだったという。

そして捕われの身となって明石《あかし》の浦に着いたとき、夢に畜生道を見たという。建礼門院がこの世で味わった苦しみこそ、まさに「六道輪廻《ろくどうりんね》」にほかならなかった。

このうち、最後の畜生道だけがはっきりしない。夢に畜生道を見たとはどういうことか。『源平盛衰記』では、この畜生道は、西海に流浪中に兄の宗盛《むねもり》とできていたとか、助けられて京都に護送される途中、明石の浦で源氏の大将の義経が建礼門院を犯したという話になっている。義経が帝の母である女院の体をもてあそぶとは、なんとも大胆不敵《だいたんふてき》な一大スキャンダルである。

とくにこの話は、江戸時代に「水戸のご老公」「水戸黄門」で知られる徳川光圀《みつくに》が編纂《へんさん》した『大日本史』にも「大原御幸《おおはらごこう》」のくだりに憶測を誘うコメントが記されており、ほかにも川柳《せんりゅう》、戯作《げさく》から落語の題材にまで多く取りあげられていることからも、かなり広く信じられていたことをうかがわせる。

ことの真偽はともかく、「誠に女人の身ばかり、申すに付けて悲しけれども、我が身一人の事にあらず」と建礼門院みずからが語るように、戦争時には女性の身の上が、しばしば戦利品として扱われ、いわゆる畜生道があったのは事実である。また、このような憂《う》き目をみることは、けっして建礼門院ひとりのことではなかったのだ。

（高木浩明）

63 義経と静御前、わずか一年ほどの愛と逃亡の日々

静御前は舞の名手として名高い磯禅師《いそのぜんじ》を母に持つ、当時都一とうたわれる白拍子《しらびょうし》であった。白拍子とは平安末期から鎌倉時代にかけて行なわれた歌舞《かぶ》で、女性が男装して歌いながら舞う芸能で、これを行なう舞姫のこともいう。

彼女と義経の出会いは、壇ノ浦の戦いののち、義経が京に凱旋し、平家追討の祝宴の席だったとも、後白河院が神泉苑《しんせんえん》で雨乞《あまご》いの舞を静にさせたときであるともいわれている。

平家滅亡後、京は大地震に襲われ、また大干ばつに見舞われた。『愚管抄《ぐかんしょう》』によれば人々

静の雨乞い伝説が残る神泉苑（京都市中京区）

はこれを、平家の怨霊によるものだと恐れた。そこで、後白河院が、名が知られた百人の舞姫を神泉苑に召し、雨乞いの舞を奏させた。そのなかに静がいて、同席した義経が静を見初《みそ》めたという（小谷部全一郎『静御前の生涯』厚生閣書店・一九三〇年）。

この雨乞いの舞で、九十九人の白拍子が舞い終わり、最後に静が舞うと、空はにわかに曇り、それまで降らなかった雨が降りだしたと、静の神秘性を伝えている。

いずれにしても、二人の出会いは、壇ノ浦の合戦後、平家を追討した直後、文治元年（一一八五）三月以降と考えられる。義経は英雄として名を馳せ、静が白拍子としての絶頂期を迎えていたころでもあった。義経二十七歳、静十五歳（一説に十四歳）といわれている。

のちに頼朝が「殿上人には見せ奉らずして、など九郎に見せけるぞ」（『義経記』）と静の母・磯禅師に問うと、「静十五の年までは、多くの人々仰せられしかども、靡《なび》く心も候はざりしかども……神泉苑の池にて、雨の祈りの舞の時、判官に見初められ参らせて……と、さめざめと泣きければ……」とあり、望む縁ではなかったと嘆いている。

また、頼朝から河越重頼の娘を正室に送られたのは、義経が静と出会う前年にあたる元《げん》暦《りゃく》元年（一一八四）九月十四日である。そのほかにも義経には側室が数多くあり、「忍びて通ひ給ひける女房廿四人とぞ聞えし」（『義経記』）、「十二人」（『源平盛衰記』）とある。そのなかでもとりわけ寵愛《ちょうあい》したのが静であり、『平家物語』によれば片時《かたとき》もそばからはなさなかったという。

義経が頼朝によって追われると、義経は後白河院に願い出て、四国に渡ろうとする。船には正室の河越重頼の娘や、静をはじめ、側室の方々も乗せて出発するが、四国上陸はかなわず、吉野に引き返す。吉野に着くと正室も側室も京に帰すが、ひとり、静だけは同行させる。やがて、旅に静を同行するのは困難となり、供をつけて京に帰すが、供の裏切りで静は敵方に捕えられ鎌倉へ送られてしまう。

その後、義経の子を宿していることがわかり、産まれた子が男子だったために、即日由《ゆ》比《い》ケ《が》浜《はま》に沈められた。その後、文治二年（一一八六）閏《うるう》七月に静は解放されるが、のちの行方ははっきりしない。義経を追い奥州に向かったとも、義経を恋い慕うあまり死んでしまったともいう。

義経と静が過ごした年月は、一年とわずかで、二年に満たなかった。すぎてみれば、義経と静との出会いは、義経の名声が絶頂を極めたときであり、それはまた義経の運命が悲運に傾いていくときであったということになる。（岡田博子）

64 静御前は義経の正妻ではない！ 正妻の郷《さと》御前とは？

義経といえば静御前というほどに、この二人の男女の結びつきは強い。しかし、義経には別にれっきとした正妻がいた。そもそも、義経は官位ある義朝の子であり、彼自身も、検非違使《けびいし》に左衛門少尉《さえもんのしょうじょう》を兼ね、従五位下《じゅごいのげ》を得て院への昇殿《しょうでん》を許されている。男装して舞う遊女を生業《なりわい》とする白拍子の静とは、身分の差がありすぎる。静が正妻となることはありえず、もちろん「御前」とつく身分でもなかった。

では、正妻はどんな女性だったのか。

『吾妻鏡』の元暦元年（一一八四）、九月十四日条に「河越太郎重頼の息女上洛す。義経に相嫁せんがためなり、これは頼朝の仰せによって兼日約諾せしむ。重頼が家の子二人、郎

常楽寺山門にある義経正妻の実家・河越館跡（埼玉県川越市）

従三十余輩これに従って門出す」とある。この「河越太郎重頼の息女」こそ義経の正妻であり、『源平盛衰記』では郷御前《さと》の名がある。重頼は武蔵国入間郡《むさしいるま》河越（埼玉県川越市）の住人。鎌倉武士の典型とされる畠山重忠の父・重能《しげよし》の従弟・能隆《よしたか》の子。頼朝が挙兵したときには敵対したが、再挙兵の際、重忠らとともに頼朝に従った。

このとき、義経は二十六歳。半年前には一の谷の合戦で大成果をあげており、その勲功により、八月に後白河院から検非違使、左衛門少尉に任ぜられる。これが、頼朝の許可なしに行なわれたので頼朝の怒りをかったことは、よく知られている。重頼の娘との婚儀は、まさにこの時期に行なわれたのである。

もうひとつ重要なのは、重頼の娘というの

は、頼朝が非常に信用していた乳母・比企尼《ひきのあま》の孫娘に当たるということだ。一の谷の合戦後、義経は朝廷との折衝《せっしょう》を担当しており、それが検非違使任官後も解任されずに任されていることも考えると、この時点では、頼朝と義経の関係も修復不可能なほど悪化してはいなかったということだろう。

だが、壇ノ浦の合戦後、事態は急変する。頼朝が望んだ安徳天皇の生還と三種の神器の奪還に失敗した義経に追い討ちをかけるように、ともに平家と戦った梶原景時《かげとき》から不利な報告が頼朝にもたらされる。以後の二人の関係の悪化は、義経の正妻である重頼の娘にも影響を与えたはずだ。しかし、史料には何の記述もない。ただ、重頼は壇ノ浦の戦いのわずか七カ月後の文治元年（一一八五）十一月に、所領を没収されている。『吾妻鏡』では、その理由を義経の縁者だからだと記す。そして、二年後の文治三年十月五日、重頼は誅殺されてしまう。

頼朝による政略結婚であったが、正妻である郷御前は義経を愛しており、一説には奥州平泉までの逃避行に従い、衣川の館で義経と最期をともにしたともいわれる。

余談だが、木曽義仲といえば、武勇と美女で名高い「巴御前《ともえ》」の名が思い浮かぶが、こちらも義仲の正妻ではなく、炊事《すいじ》のため従軍した下女にすぎない。みなさん、お間違えのないように。

（財前又右衛門）

65「義経は女好きだった」説の真偽は？

俗に「英雄色《いろ》を好む」というが、義経も色好みだったと印象づける話が伝わっている。『義経記』に「忍びて通ひ給ひける女房廿四人とぞ聞こえし」とあり、『源平盛衰記』にはその数を十二人とする。また、頼朝の追討軍から逃れ、大物浦《だいもつのうら》（兵庫県尼崎市）から月《つき》丸《まる》という大船で四国に落ちる際、「御志深かりし平大納言の御娘、久我大臣《こがのおとど》殿の姫君、唐《から》橋《はし》大納言、鳥飼《とりかい》の中納言の御娘（中略）その外《ほか》静などをはじめとして、白拍子五人、惣じて十一人」を連れて行ったという。

これらの物語の記述を信じれば、十人もしくは二十人以上の女性と関係をもったことになり、追っ手から逃げるという緊急事態のときでも、十一人の女性を連れて行くというのだから、女好きかということになるだろう。しかも、義経は白面の美男子ということになっているから、お話としては申し分ない。

ただ、一夫多妻《いっぷたさい》が原則だった、当時の京の男女関係は、一夫一婦《いっぷいっぷ》が制度化された今では感覚的に理解しにくい。たとえば、義経の兄にあたる義平・頼朝・範頼《のりより》をみても、母がそれぞれ違うところから、父・義朝には『尊卑分脈』から少なくとも五人以上の女性がいたと推測される。記録に残らないものを入れれば、たぶん十人ほどの妻妾《さいしょう》は当然いただろう。兄・頼朝も女好きで、兄・義平の未亡人に恋文を送った話や、浮気をして正妻の北条政子とたびたびいさかいを起こした話が有名だ。

こうしたことを考えれば、今の感覚を基準に、多くの女性と関係をもったからといって、女好きと断定してしまってよいものか判断に迷う。

ただ、四国に落ちる際も多くの女性を伴ったことからもわかるように、義経は常に女性を身近に置いていた。四国に出帆した義経を乗せた「月丸」は、嵐に遭遇し結局大物浦に押し流されてしまう。このとき、義経追討の院宣がすでにくだっており、義経は朝敵となってしまっていた。そこで、義経は大和国吉野《やまとよしの》（奈良県吉野町）に向かう。もう都には戻れないので、船に乗せた女性たちはみな都に返したが、静だけは伴った。吉野といえば修験《しゅげん》道《どう》の本場、険しい山中である。そこを行くのは男でも大変困難なことであり、女性が足手まといになるのは目にみえている。

また、『義経記』には、「奥州に落ちる際には久我の姫君を伴いたい」といいだして、弁慶たちを驚かしたとある。『吾妻鏡』にも「妻室男女を相具す」とあり、妻女を伴ったのは事実らしい。この点から考えると、やはり義経は女好きといってよいのではないだろうか。

（財前又右衛門）

66 義経と最期をともにした女性は誰？

義経を庇護《ひご》していた藤原秀衡《ひでひら》が亡くなると、秀衡の子・泰衡《やすひら》は頼朝の再三の義経引き渡し命令の圧力に屈し、文治五年（一一八九）閏《うるう》四月三十日、義経の住む衣河館《ころもがわのたち》（衣川館）を襲撃する。

このため、義経は自害に追いこまれた。義経は妻子を殺したあと、みずからも命を絶ったと伝えられている。

この妻子については、正室の河越重頼の娘、久我大臣の姫、平時忠の娘ともいわれるが、いずれにも確証がない。

『吾妻鏡』では、この日、義経に殉《じゅん》じたのは、二十二歳の妻と、四歳の女の子であったと記されている。『尊卑分脈』には、義経の子は女子がひとりとあり、妻子の年齢から推定すれば、正室の河越重頼の娘ということになる。

一方、『義経記』では、文治二年二月二日に奥州の藤原秀衡のもとに下るときに伴った妻は、久我大臣の姫（北の方）だという。久我大臣の姫は一条今出川《いまでがわ》に住み、九歳で父と死別、十三歳で母とも死別し、容姿美しく、心優しい姫君で、傅役《もり》の兼房が面倒をみてい

衣川古戦場より高館を望む（岩手県平泉町）

た。衣川の館にいた妻子は、この久我大臣の姫君で、義経とのあいだにもうけた五歳の男子と七日前に生まれた女子だという。

この妻子は、義経自害の直後、傅役の兼房が北の方の「右の脇の下より刀を立て、息がお絶えになった」とし、北の方が義経のあとを追ったと記している。北の方が息を引きとった直後に、二人の子も兼房が刺し殺し、義経のあとを追ったとしている。ただし、『尊卑分脈』には久我大臣の姫の記述はない。

また、一説には、この妻は平時忠の娘ではないかともいわれている。平時忠の娘は、壇ノ浦で生捕りにされた時忠が、命乞いのため、側室にと義経に差し出した娘だ。これにも確証がない。

義経妻子の墓は毛越寺《もうつうじ》（岩手県平泉町）の

一院、千手院《せんじゅいん》にある。衣川の館で義経と最期をともにしたとされる妻子の墓である。この妻子は、正室河越重頼の娘であるとの見方が有力であるものの、久我大臣の姫、平時忠の娘の可能性もなお捨てきれないようだ。

（岡田博子）

第7章

悲劇の英雄・義経を支えた家来たちの謎

67 弁慶は実在の人物なのか？ 弁慶像のモデルは？

「弁慶が実在しなかったら、向こうずねを『弁慶の泣き所』っていわないんじゃないの？」なんて声が聞こえてきそうだが、義経の郎党のなかに、弁慶という名の人物がいたのは事実だ。ただし、われわれがイメージする荒々《あらあら》しく勇猛な武蔵坊弁慶像は、実は本物の弁慶に会ったことも見たこともない後世の人が作りあげたものらしい。

「武蔵坊（房）弁慶」の名は、鎌倉時代の歴史書『吾妻鏡《あずまかがみ》』に、頼朝に追われて都落ちする義経の従者《ずさ》のひとりとして二回出てくるが、詳しいことは書かれておらず、軍記物語『平家物語』にも数回名前が見えるだけで、とくに目立ったエピソードは述べられていない。

ところが室町時代に成立した『義経記《ぎけいき》』（義経にまつわる史実と伝説とを交えた一種の軍記物）あたりから、義経のもっとも重要な家臣として、めざましい活躍が描かれるようになる。

『義経記』によると、弁慶は熊野の別当《べっとう》（熊野三山の長官）弁しょうが「天下第一の美人」の誉《ほま》れ高い二位大納言《にいのだいなごん》の姫君を略奪婚《りゃくだつこん》して産ませた息子で、十八カ月も母親の胎内《たいない》にいたため、産まれたときには髪も歯も生えそろい、二、三歳ぐらいの幼児に見えた。父親が「こいつは鬼神に違いないから殺せ」というのを、ふびんに思った叔母（別当の妹）が引き取り、

JR紀伊田辺駅前に建つ弁慶像（和歌山県田辺市）

幼名を「鬼若《おにわか》」と名づけて養育したが、肌は疱瘡《ほうそう》にかかって色黒、髪は生まれつきのまま伸びないので元服させることもできず、法師にしようと比叡山へ修行にやる。

ところが、十八歳まではまじめに学問に励んでいたものの、だんだん力が強くなり、手のつけられない乱暴者になってしまった。どの寺へ行っても問題を起こすので仏道《ぶつどう》修行をやめ、千本そろえて重宝《ちょうほう》にするべく、京都で夜な夜な人の太刀を九百九十九本まで奪ったが、千本目の相手義経に三回も打ち負かされて臣下となり、以後、奥州衣川の最後の合戦でついに立ち往生するまで、義経の忠実な家来として影のようにいつもそばに従い、義経に降りかかる数多くの困難を、知恵と力で乗り越えていく。

弁慶の父親・弁しょうの名は『別当代々次第《べっとうだいだいしだい》』には見えないため、どうやら架空《かくう》の人名のようだ。ほかの伝承に、弁心《べんしん》（『弁慶物語』説）とも、湛増《たんぞう》（『橋弁慶』説）。これは実在の別当ともいうが、いずれも後代の説なので、本当のところは定かでない。

さまざま伝えられる弁慶の活躍のうち、もっとも有名なものといえば、北国下りの途中、加賀《かが》国安宅関《あたかのせき》（石川県小松市）で「お尋ね者の義経一行ではないか」と疑う関守《せきもり》の富樫《とがし》に、「われわれは正真正銘《しょうしんしょうめい》の山伏だ」と言い張り、ありあわせの巻物を「勧進帳《かんじんちょう》」だといって読み聞かせて、無事に関所を通過した話だろう。これが歌舞伎で人気の『勧進帳』だが、これも『義経記』に見えるエピソードの断片《だんぺん》や、能の『安宅』などをヒントに江戸時代の歌舞伎作者が作りあげた物語である。

なお、義経の奥州下りを手引きした比叡山の悪僧・俊章《しゅんしょう》が、弁慶像のモデルのひとりとされている。

68 秀衡の命で義経に仕えた佐藤継信・忠信兄弟の献身

若かりしころ奥州の藤原秀衡《ひでひら》のもとに身を寄せていた義経が、治承《じしょう》四年（一一八〇）、兄頼朝の挙兵に駆けつけるため平泉を出発する際、部下として一緒に付き従ったのが、佐藤三郎継信《つぐのぶ》（嗣信）・四郎忠信《ただのぶ》の兄弟だ。

佐藤氏はムカデ退治伝説で有名な藤原秀郷《ひでさと》の子孫で、湯の庄司とも称された陸奥国信夫《しのぶ》庄（福島市）の庄司の家柄。出羽・陸奥押領使《おうりょうし》（反体制的武装凶徒集団を鎮圧する官職）師綱《もろつな》を祖父に、信夫庄の荘官佐藤元治《もとはる》を父にもつ継信・忠信兄弟は、平泉屈指の名門武士であったが、秀衡の命令で義経の股肱《ここう》の家臣となり、常に義経と行動をともにし、身命をかけて主君を守った。

しかし、兄の継信は元暦《げんりゃく》二年（一一八五）二月十九日、屋島の合戦で討死する。『吾妻鏡』には、継信の死をたいへん悲しんだ義経が、ひとりの僧侶に供養を頼み、秘蔵の名馬「大《たい》夫黒《ふぐろ》」を贈ったとある。『平家物語』の巻十一「嗣信最期」は、彼の死をさらに感動的な物語に仕立てあげている。その内容はこうだ。

義経に狙いを定める平家の猛将能登守教経《のとのかみのりつね》が構える強弓《つよゆみ》の矢面《やおもて》に立った継信は、左肩から右脇にかけて射抜かれ落馬、義経に「思い置くことはないか」と問われ、苦しい息のもと、「あなたがご出世なさるのを見ないで死ぬのが残念ですが、武士なら敵の矢に当たって死ぬのはもとより覚悟のうえです。『源平の合戦で奥州の佐藤三郎兵衛継信という者が、屋島で主君の身代わりとなって討たれた』と末代まで物語られるならば名誉です」

と言い残して絶命した。義経は近辺の高僧を尋ね出させ、かの鵯越《ひよどりごえ》の急坂をともに駆け

屋島合戦で戦死した佐藤継信(次信)の墓(香川県牟礼町)

下りた愛馬「大夫黒」を惜しげもなく僧に与えて継信の供養を頼んだので、それを見た弟の忠信らはみな涙を流し、「この主君のために命を失うことは、露《つゆ》ほども惜しくない」といったという。

継信の弟・忠信は、兄の死後も変わらず義経に忠義を尽くし、義経都落ちの際には、吉野山に潜伏する義経と連絡を保ちつつ別行動をとり、義経の密命を受けて京都で何か画策していたらしい。だが文治二年九月二十二日、とうとう隠れ家を発見され、中御門東洞院《なかごもんひがしのとういん》で追捕《ついぶ》の武士に囲まれる。忠信は郎党二人とともに激しく抵抗するも、多勢に無勢でかなわず、その場でいさぎよく自害を遂げた。

忠信の潜伏先が発覚してしまったのは、忠信が懇意《こんい》にしていた人妻が、現在の夫に彼の手紙を見せたためだと伝える。勇猛果敢《ゆうもうかかん》な武将が、不覚にも女性が原因で身を滅ぼすケースは古今東西よくある話だが、忠信もそんなひとりであったらしい。

ちなみに歌舞伎の『義経千本桜《よしつねせんぼんざくら》』四《し》の切《きり》は、静御前の所持する「初音《はつね》の鼓《つづみ》」の皮に張られた両親を慕う子狐が、忠信に変身して静御前の供をし、義経に恩返しするというお話。

69　義経軍で数々の戦功を立てた、謎だらけの男・伊勢三郎義盛

伊勢三郎義盛は、『吾妻鏡』や鎌倉時代前期の公卿九条兼実《くじょうかねざね》の日記『玉葉《ぎょくよう》』に名前がみえる義経股肱の臣だが、その素性は諸説いろいろある。

『平治物語』は、伊勢《いせ》国（現在の三重県）の目代《もくだい》について上野《こうずけ》国松井田（群馬県松井田町）へ下り、土着した者といい、『平家物語』では伊勢国鈴鹿山の山賊（日光育ちの稚児《ちご》とする本もあり）、『源平盛衰記《げんぺいじょうすいき》』は上野国荒蒔郷《あらまきのさと》出身で義理の伯父を殺した無法者《むほうもの》、『義経記』には上野国板鼻《いたはな》（群馬県安中市）の住人で、先祖代々源氏に仕える家柄だったと書かれている。

このように、伊勢三郎義盛はどこの何者なのか、義経とはどのような縁で主従関係を結ぶこととなったのか、たしかなことは何もわからない。まったく謎だらけの人物だが、義

経の信頼はかなり厚く、戦場では義経の手足となってめざましい活躍をした。

『平家物語』に描かれたところでは、巻十一「嗣信最期」に、屋島で源平両軍が対峙《たいじ》したとき、平家の越中《えっちゅう》次郎兵衛《じろうびょうえ》盛次《もりつぐ》が義経の悪口をさんざんにいうので、「お前たちは砺波《となみ》山の戦で追い落とされ、命からがら北陸道にさまよい、乞食《こつじき》して泣く泣く京へのぼったくせに」と悪口で対抗すると、盛次に「そういうお前こそ、伊勢の鈴鹿山で山賊して妻子を養い、生活していると聞いたぞ」と応酬されている。

同じ巻十一「能登殿最期」では、壇ノ浦の合戦に敗れ、海に飛びこんだものの死にきれずに泳ぎまわっていた平宗盛《むねもり》・清宗《きよむね》父子のそばに小船を漕ぎ寄せ、熊手で引き上げて二人とも生け捕りにしている。

『吾妻鏡』の記事では、義経の郎党にすぎない伊勢義盛が、屋島の戦いに際しては鎌倉の御家人の列に数えられ、宗盛ら捕虜を連れて鎌倉に凱旋する義経に同行し、相模《さがみ》国（現在の神奈川県）酒匂《さかわ》宿で、頼朝の妹婿一条能保《いちじょうよしやす》の従者後藤基清《ごとうもときよ》とのあいだで喧嘩さわぎを起こしたことから、郎党の驕慢《きょうまん》な振る舞いは義経の責任だと、頼朝は大いに怒った。義経が頼朝の不興《ふきょう》を買って、鎌倉へ入ることを許されなかったその一因をつくってしまったのだ。

頼朝と義経の兄弟不和が決定的となり、文治《ぶんじ》元年（一一八五）十一月三日、西海下りを決意して京都を退去する義経に従う二百騎のひとりに、伊勢義盛は連なっている。だが義経一行は十一月六日、摂津国大物浦《だいもつのうら》（兵庫県尼崎市）から出船直後、突然の暴風のために船は転覆、義経は伊豆右衛門尉有綱《いずうえもんのじょうありつな》・堀弥太郎景光《ほりやたろうかげみつ》・武蔵坊弁慶・静のわずか四人を従えてその夜は天王寺あたりに一泊し、以後の具体的な足どりは不明となる。

一説では伊勢義盛は義経と別れ、伊勢に帰って潜伏生活を送っていたが、翌文治二年七月二十五日、ついに鎌倉方の捜査網にかかって捕縛され、誅殺《ちゅうさつ》ののち、梟首《きょうしゅ》されたといわれる。義経の逃亡生活にどの程度関わっていたのか、真相は藪《やぶ》のなかである。

70 弁慶とともに活躍した謎の僧・常陸坊海尊のその後は？

常陸坊海尊《ひたちぼうかいそん》（海存）の名は『源平盛衰記』巻四十二に見え、もと比叡山の僧であったと記されていることから、実在の人物であるらしい。ただし、延慶本《えんぎょうぼん》『平家物語』第六巻は「常陸房快賢《かいけん》」、『義経記』には「常陸坊荒尊《こうそん》」とあり、どれが正しいのかはわからない。系譜も生没年も未詳。武蔵坊弁慶と同じく、その人生はさまざまな伝説に彩られている。

『義経記』では、若き日の義経を訪ねて奥州に参上した園城寺《おんじょうじ》（滋賀県大津市にある天台寺門宗の総本山。通称三井寺《みいでら》）の法師とし、頼朝の挙兵に応じて戦場に駆けつける義経に付き従い、義経の都落ちの際には、大物浦で難船した一行に襲いかかる敵（鎌倉軍）の船団中に、弁慶と二人、小船に乗って突入し、大勝利を収めている。

また、義経が最期を迎えた衣川の合戦のときは、たまたま十一人連れで朝から近国の山寺を拝みに出かけており、道中で戦いのことを聞いたのか、そのまま高館には戻らず、行方をくらましてしまった。ここから、逃げ足の早い常陸坊が仙人となって長生きし、義経のことを物語る語り部となったとの伝説が生まれた。

いなくなった場所柄ゆえか、とりわけ東北地方には海尊にまつわる伝説が数多く伝えられており、江戸時代、東北地方に流布《るふ》していた『清悦物語《せいえつものがたり》』には、彼が不老長寿で寛永《かんえい》七年（一六三〇）まで生きたとある。ちなみに不老長寿の原因は書物によって諸説あるが、狗杞《くこ》だか赤魚の肉だか人魚《にんかん》魚の肉だかを食したことにあるとか。

江戸時代の書物に記された常陸坊海尊伝説をみてみると、元禄《げんろく》五年（一六九二）刊の仮名草子《かなぞうし》『狗張子《いぬはりこ》』（浅井了意作。唐代の小説を題材に、いろいろな怪奇説話を集めたもの）巻一に、衣川の戦いで義経主従はみな滅びたのに、海尊ひとり軍勢のなかを逃れ、富士山に登って身を隠し、食糧に飢えて浅間大菩薩《せんげんだいぼさつ》を祈ると、岩の洞《ほら》から飴のようなものが湧き出たのでそれを食したところ心身健《すこ》やかとなり、ついに仙人になったとある。

また、貞享《じょうきょう》二年（一六八五）刊の浮世草子《うきよぞうし》『西鶴《さいかく》諸国ばなし』（井原西鶴作。諸国の異聞奇談を集めた小説集）巻一には、鳥も通わぬ峰に庵《いおり》を結ぶ短斎坊という百余歳の僧のもとに、ときおり遊びに来ては十六むさし（ゲームの一種）の相手になる老法師が、革巾着から火打ち石を取り出して、「これは鞍馬の名石で、火が早く出ると判官殿にもらった」などと語り、「わたしこそ常陸坊海尊だ」と名乗って、いろいろと昔話をはじめた。

「弁慶はまたとない美僧だった」とか、

「義経は丸顔で鼻が低く、前歯が抜けてやぶにらみで縮れ毛で横に太り、男ぶりは取り柄がなかったが、志《こころざし》だけは大将だった」

「片岡経春《つねはる》はとにかくケチ、佐藤忠信は大酒飲み、伊勢三郎は買い掛を返済しない。ほかにもろくなヤツはいなかった」

「静の器量は十人並みより少しすぐれた程度」

など、イメージをぶち壊すようなことを言いたい放題だったという。

71　昨日の敵は今日の味方、多田行綱の巧みな世渡り

多田蔵人行綱《ただのくらんどゆきつな》は、摂津守頼盛《せっつのかみよりもり》の子で、清和源氏発展の基礎を作った源満仲《みつなか》より七代の後裔にあたる。摂津国多田庄（兵庫県川西市）に住居する摂津源氏である。

申し分のない名門の家柄に生まれたこの多田行綱という男、戦乱の世をなんとも巧みに

須磨公園内にある一の谷合戦の碑（神戸市須磨区）

泳いで渡った、本当に要領のいいヤツなのだ。

治承元年（一一七七）六月、新大納言藤原成親《なりちか》・俊寛僧都《しゅんかんそうず》・西光法師《さいこうほうし》ら後白河院の近臣たちが、京都東山の麓《ふもと》、鹿ヶ谷《ししがたに》にある俊寛の山荘で平家討伐の謀議《ぼうぎ》を重ねていたところ、この陰謀に加わりながら、平家の繁栄するありさまを見てみずからの形勢不利を悟った行綱は、成親から「あなたを一方《ひとかた》の大将に頼みます。この謀反が成功したら、国でも庄でも望みのまま差し上げますから」といわれるほど頼りにされていたのにもかかわらず、あっさりと仲間を裏切って清盛に密告してしまう。

そして首謀者の成親は備前《びぜん》（現在の岡山県）へ流されて処刑、俊寛らは鬼界島《きかいがしま》へ配流された。これが、いわゆる鹿ヶ谷事件である。

仲間への裏切りを非難されてもそしらぬ顔

を通していた行綱だが、あれほど栄華をきわめた平家の勢いにいったんかげりが見えはじめると、今度は手のひらを返したように源氏にすり寄り、頼朝に忠誠を誓う。

とくに一の谷の戦いでは、戦場が地元摂津国ということもあって、大いに活躍している。梶原景時が合戦の当事者である範頼《のりより》・義経よりも先に京都へ届けた戦勝報告によると、一の谷の本陣を義経軍、福原（現在の神戸市兵庫区。清盛が一時都とした）を範頼軍が攻め、山手《やまのて》は多田行綱が先陣切って攻めたとある。元暦元年（一一八四）二月七日、義経の鵯越《ひよどりごえ》奇襲攻撃により一の谷の平家本陣が混乱に陥っているところへ、行綱の率いる軍勢が山のほうから寄せ、山手の城戸口《きどぐち》を攻め落とした。地元武士である行綱は、地理に不案内な源氏軍に重宝がられ、面目《めんもく》をほどこしたようだ。

一の谷では源氏軍の一員として、義経と協力しあい、平家軍の攻撃にあたった多田行綱は、頼朝と義経との対立が決定的となると、しっかり鎌倉側につき、義経追討軍に加担する。文治元年（一一八五）十一月三日に西国めざして京都を出発した義経一行は、翌四日、大物浦へ急ぐ途中に通りかかった摂津国河尻（兵庫県尼崎市）で、多田行綱らの軍兵の待ちぶせにあって襲撃され、かろうじてこれを破り、駆け抜けたものの、かなりの軍兵を失ってしまった。このあたりから義経の従者は加速度的に離散していく。

なお『平家物語』巻十二「判官都落《はんがんみやこおち》」では、多田行綱ではなく同じ摂津国源氏の太田《おおだの》太郎頼基が、「わが門の前を通るなら、矢のひとつも射かけてやろう」と、都落ちする義経一行を川原津《かわらづ》というところで追いついて襲ったが、逆に反撃にあい、命からがら退いたと記している。

72 義経の協力要請に緒方惟義が出したスゴイ交換条件

緒方三郎惟義《おがたさぶろうこれよし》（惟栄《これひで》とも）は、大神朝臣良臣《おおみわあそんよしおみ》の末裔で、豊後国大野郡緒方庄（大分県緒方町）に住んでいた豪族である。平家の全盛期には平資盛《すけもり》（重盛《しげもり》の次男）の家人として仕えていたが、頼朝の挙兵後は平家に反旗をひるがえし、源氏に味方した。

緒方惟義の先祖については、『平家物語』巻八「緒環《おだまき》」に、次のような話がある。

昔、豊後国の片山里に住むひとりの娘のもとに、夜な夜な通ってくる男がいた。年月の重なるうちに娘は身重《みおも》となり、母親があやしんで「お前のもとに通うのは何者なの？」と娘を問いつめると、「来るのは見るけれど、帰るのは知らないの」と答えるので、「それならば男が帰るとき、何かしるしをつけてどちらへ行くか跡をつけてみなさい」と教えた。

そこで娘は男が帰るとき、狩衣《かりぎぬ》の襟《えり》に針を刺し、「しずのおだまき」という糸巻きをつけて、糸をたよりに男が通っていった方角をたどっていくと、姥岳《うばだけ》のふもとにある岩屋の内から、のど笛に針を刺した大蛇が這《は》い出てきた。この娘がほどなくして産んだ男子（通称あかがり大太《だいた》）の五代の孫が、緒方惟義なのである（蛇神の化身が人間の娘と結婚するこの種の説話を、三輪山伝説または大神《おおみわ》伝説という）。

源氏側についた緒方惟義は、範頼の九州上陸を助け、筑紫に内裏《だいり》をつくろうとしていた平家を攻めて、太宰府から追い落とす。やがて頼朝に命を狙われるようになった義経は、鎮西下りにあたり、かつて平家を九州から追い出すほどの威勢を見せつけた緒方惟義に協力を求めた。

『平家物語』巻十二「判官都落」にそのときのやりとりが記述されているのだが、義経に「お前を頼みにしたいのだが」といわれた緒方惟義は、「あなたの配下に属する菊池二郎高《たか》直《なお》は、わたしの数年来の敵でございます。菊池の身柄を引き渡していただいて、彼の首を切ってから、ご依頼に応じましょう」と答えた。すると義経はあっさりと菊池を引き渡したので、緒方惟義は六条河原《ろくじょうがわら》でその首を討ち、義経の申し入れを頼もしく引き受けた。

『義経記』も同様の話を載せるが、ちょっと感じが違う。こちらは、義経に協力要請された緒方惟義が「菊池を処刑してくだされば、仰せに従います」といったので、義経は弁慶と伊勢三郎に「緒方と菊池とどちらが頼りになるだろうか」と尋ねる。二人が「菊池のほうが頼もしい者ですが、軍勢の勇猛さは緒方が勝ります」と答えたので、義経はまず菊池に力を貸すよう頼む。すると「子供が鎌倉（頼朝）に奉公していますので……」と断られたため、それならばと菊池の宿を攻め、館に火をかけて自害した菊池の首をとり、結果、緒方が味方になったとする。

菊池二郎高直は関白藤原道隆《みちたか》の子・隆家《たかいえ》の子孫で、肥後国《ひごこく》（現在の熊本県）菊池郡の豪族である。緒方惟義とは同じ九州を拠点とする豪族どうし、いざこざがあったらしい。義経をかくまおうとした緒方惟義は、結局捕えられて遠国に流されて没した。

73　義経の都落ちに従った堀景光と伊豆有綱はどうなった？

兄・頼朝との仲が決定的に悪くなり、とうとう命を狙われるまでになった義経は、都を落ちて鎮西《ちんぜい》（九州）に向かうこととし、文治元年（一一八五）十一月六日、摂津国大物浦（兵庫県尼崎市）を出航する。しかし、にわかに吹きはじめた暴風のため一行の船は転覆、従者は散り散りとなり、義経は伊豆右衛門尉有綱・堀弥太郎景光・武蔵坊弁慶・静のわずか四人を伴い、以後消息をくらます。

義経の家臣のひとりとして『吾妻鏡』『玉葉』に名前の見える堀弥太郎景光（『源平盛衰記』は「堀弥太郎親弘」、『平家物語』には「堀弥太郎親経」とある）は、伊勢三郎義盛と同様、系譜も前身もよくわからない人物だ。それゆえに『平治物語』では、もとは京都の青侍であったが、貧乏だったので仕方なく金商人となり、義経に頼まれて奥州平泉の藤原秀衡のもとへ同行した金売吉次が、のちに義経について再び侍となり、堀弥太郎と名乗ったとしている。ただし「金売吉次＝堀弥太郎説」をとるのは『平治物語』ぐらいで、『義経記』では、頼朝謀反の知らせを聞いて浮島ヶ原（静岡県沼津市）の戦場に駆けつけた義経のもとに、頼朝の使者として兄弟対面を取り持つ役目を果たすのが堀弥太郎である。

さて、大物浦の難船後も義経の身辺に付き従って鎌倉幕府の探索の目を逃れていた堀弥太郎であったが、文治二年九月二十二日、京都に隠れていたところを東国武士の比企《ひき》藤内朝宗《ともむね》に発見され、生け捕りにされた。そして厳しい尋問《じんもん》にあい、とうとう義経がつい最近まで奈良興福寺《こうふくじ》の勧修坊聖弘得業《かんじゅぼうしょうこうとくぎょう》にかくまわれていたこと、義経の命令で後白河院の近臣木工頭《もくのかみ》藤原範季《のりすえ》との連絡係をつとめていたことを白状してしまった。

堀弥太郎と、彼より先、閏《うるう》七月十日に捕えられた義経の小舎人童《こどねりわらわ》五郎丸の自供により、義経が六月二十日ごろまでは京都の比叡山に隠れていたこと、その後、南都（奈良）へ向かったことが明らかとなり、義経捜査網はますます狭められたのである。

伊豆有綱は、伊豆守仲綱《なかつな》の息子で、祖父は治承四年（一一八〇）、高倉宮以仁王《もちひとおう》に平家追討をすすめて挙兵させ、破れて宇治平等院で自刃した源三位入道頼政《げんざんみにゅうどうよりまさ》（宮中で鵺《ぬえ》を退治した話で有名）である。義経の婿になった縁で、都落ちから逃亡生活まで行動をともにした。

壇ノ浦の合戦直後、彼が伊豆近国の荘園公領を多くかすめとっていたことが幕府に知られるところとなり、罪を糾弾《きゅうだん》されている。自身や郎党たちのたび重なる失態で頼朝の怒りを増長させ、鎌倉に入ることを許されずにいた義経の立場をますます悪くした原因人物のひとりである。

文治二年六月二十八日に京都守護・一条能保（頼朝の妹婿）が鎌倉へ送った飛脚《ひきゃく》によると、六月十六日に北条時定《ときさだ》が義経の潜伏情報が寄せられた大和国（現在の奈良県）宇多《うだ》郡で伊豆有綱の一族を発見し、敗死させたとのこと。こうして義経は頼るべき家人を失い、孤立していった。

74　山賊や僧兵などアウトサイダーが多かった義経郎党の謎

頼朝直属の家臣たちは、氏素性《うじすじょう》のしっかりしたエリート家系の人々が多いのだが、義経配下の郎党たちとなると、今となっては系図の調べようがない、どこの馬の骨ともわからない人物ばかりといってよいかもしれない。

『吾妻鏡』に名前の見える義経の郎党は、佐藤三郎継信・四郎忠信・伊勢三郎義盛・堀弥太郎景光・片岡八郎弘経《ひろつね》・武蔵坊弁慶などだが、このメンバーのなかでは、代々奥州の藤原秀衡に仕える譜代の武士であった佐藤継信・忠信兄弟だけが、ほとんど唯一家柄の確かな名門の出身者だ。

ほかの人たちは前述したとおり、弁慶の出自は伝説にまみれているし、伊勢三郎は伊勢国（現在の三重県）鈴鹿山の山賊だったといわれ、堀弥太郎も京あるいは奥州の金商人だったとする説がまことしやかに伝えられているほどで、義経の従者となる以前はどのような生活を送っていたのか、まったくもって不明である。

ここで初めて名前の出てきた片岡八郎弘経について述べておくと、系譜は未詳だが、常陸《ひたち》国鹿島郡鹿島郷片岡（茨城県鹿嶋市）の出身で、古来軍神として武人の信仰が厚い鹿島神宮の宮司の子孫らしい。『平家物語』には「片岡太郎経春《つねはる》」、『源平盛衰記』には「片岡太郎経春」と「片岡八郎為春《ためはる》」の両方の名前があり、『義経記』では「片岡八郎経春」とする。

史実と合致するかどうかは疑わしいが、『義経記』に描かれた彼の活躍はめざましい。都落ちした義経一行の船団が大物浦で遭難したとき、義経に命じられるまま、凍った太い帆柱に登って絡《から》まった綱を切ったり、一行の船が漂着した場所の地名を調べに行ったりと行動はまめまめしく、また鎌倉からの追討軍を大物・住吉二カ所合戦でさんざんに射散らかし、奥州衣川では弁慶とともに最後まで義経を守り、奮戦討死した。

　そのほかに義経腹心の臣下として名前が伝えられるのは、『平家物語』によく出てくるフレーズに「奥州の佐藤三郎兵衛嗣信・同四郎兵衛忠信・伊勢三郎義盛・源八広綱《げんぱちひろつな》・江田《えだの》源三《げんぞう》・熊井《くまい》太郎・武蔵坊弁慶なンどといふ一人当千《いちにんとうぜん》の兵《つわもの》ども」というのがある（多少の出入りはあっても、必ずこの順番に名前が読みあげられる）。

　源八広綱は伝未詳。江田源三は『義経記』に信濃《しなの》（現在の長野県）の住人とあるが、『源平盛衰記』では源満政《みつまさ》（源満仲の弟）より六代の後裔《こうえい》・辻岡源太基済《つじおかげんたもとすみ》の子で名を弘基《ひろもと》とし、『新編武蔵風土記稿《しんぺんむさしふどきこう》』は武蔵《むさし》国都筑郡荏田邑（神奈川県横浜市）の人とする。熊井太郎も系譜未詳だが、『源平盛衰記』に名を忠元《ただもと》と記し、『義経記』では奥州まで義経の供をして下るが、『平家物語』の諸本のなかには、頼朝が義経追討のために派遣した土佐坊昌俊《とさのぼうしょうしゅん》が六条室町の義経邸に夜討ちをかけた際、負傷もしくは討死したとするものもある。

　『源平盛衰記』の巻四十六「土佐房上洛《とさのぼうじょうらく》の事」をみると、源八兵衛尉《ひょうえのじょう》広綱は、義経の六条堀河宿所を襲撃した土佐坊一味に兜《かぶと》の上から頭部を射抜かれて、馬から落ちて死に、熊井太郎も膝を射られて、死生《しせい》も定まらない瀕死《ひんし》の重傷を負ったらしいが、真偽《しんぎ》のほどは定かでない。

　いずれの面々も素性のはっきりしない者ばかりなので、後世さまざまな伝説を生んだ。

75　義経をかくまったのに頼朝を感心させた勧修坊聖弘の「正論」

文治元年（一一八五）十一月六日、大物浦での難破後は地下に潜り、鎌倉幕府捜索の目をくぐり抜けてきた義経は、文治三年の春、すでに奥州平泉に下って藤原秀衡の庇護《ひご》下にいることが判明するまでの約一年半、畿内各地を転々として潜伏生活を送っていたらしい。

義経は幼少時代を京都近辺ですごし、頼朝の挙兵に応じて奥州から駆けつけてからは、頼朝の意を受けて木曽義仲討伐のため上洛し、平家追討のため西国へ出陣したとき以外は京都を生活の拠点としていたため、畿内に知己《ちき》が多く、頼朝に憎まれ、追われる身となった義経を案じ、同情して隠れ家を提供してくれる人々も少なからずいたにちがいない。

さらに、南都北嶺《なんとほくれい》（南都の諸寺と比叡山。とくに興福寺と延暦寺）をはじめとする畿内の主だった大社寺は、武士が勝手に領内に踏みこんで探索を行なうことを許さなかった。

いくら鎌倉幕府の権力が増し、全国的に支配力を強めつつあったとはいっても、古くから京都の朝廷と密接に結びつき、特別な立場を維持していた寺院勢力に関しては、何の影響力もおよぼすことができず、手をこまねいて見ていることしかできなかったのである。

しかも悪僧の習いとして、貫首《かんしゅ》（天台座主）・長吏《ちょうり》（寺の首長たる僧）の下知《げち》に従わない傾

義経がかくまわれた奈良の興福寺（写真／矢野健彦）

向があり、幕府の抗議に対しても、のらりくらりと躱《かわ》してしまうのが常であった。

だが、文治二年九月に逮捕された義経の家人・堀弥太郎景光の自白により、義経が南都興福寺の勧修坊聖弘のもとに庇護されていたことが判明すると、京都守護の一条能保は、京都の朝廷に申し入れて社寺に捜索を要請する従来の慣例を破り、比企朝宗《ひきのともむね》を興福寺に直接乗りこませ、武力をもってすみずみまで乱暴に捜索させた。しかし、義経はすでに逃げたあとで、聖弘も不在だったが、のちに聖弘は興福寺別当に捕えられて身柄は朝廷へ引き渡され、一条能保により鎌倉へと送られた。

翌文治三年の三月八日、聖弘は頼朝と対面する。頼朝の「義経は国を乱す逆臣で、天下の人はみな彼を憎んでいるのに、あなたひと

り彼のために祈祷を行なったりするのはどうしてなのか」という問いに対し、聖弘は、

「義経があなたの使いとして平家討伐を行なう際、わたしは勝利の祈祷をしましたが、それは国のためです。義経があなたの怒りをこうむって身を隠し、わたしを頼って奈良に来たので、ひとまず難を逃れ、あなたに謝罪するよう説得して、伊賀国《いが》（現在の三重県）へ送りました。そもそも関東が安泰《あんたい》なのは、義経の武功によるものです。それなのに讒訴《ざんそ》を聞き入れて奉公を忘れ、恩賞の地を取り上げるのでは、逆心を起こすのは当然です。早く怒りを解いて義経と和解し、兄弟仲よくなさるのが国の平和のためです。わたしは義経をかばっていうのではなく、天下の無事を願っていうのです」

と答えた。頼朝は怒るどころか、聖弘の人柄に感心し、鎌倉の勝長寿院《しょうちょうじゅいん》の供僧職《ぐそうしき》に任じたという。

76　「義経四天王」には三通りの説が存在！

「四天王《してんのう》」とは、もともと須弥山《しゅみせん》の中腹にある四天王天の四方に住んで仏法を守護する四体の護法神のことで、持国天《じこくてん》（東方）・増長天《ぞうちょうてん》（南方）・広目天《こうもくてん》（西方）・多聞天《たもんてん》（北方）をさす。

そこから転じて、武道や芸道などにとくに秀でた四人をさしていうようになり、そういえ

ば近ごろでは「ものまね四天王」なんてのもあった。

　歌舞伎や浄瑠璃《じょうるり》など江戸の文芸で四天王物といえば、源頼光《よりみつ》の四天王（渡辺綱《わたなべのつな》・坂田金《さかたのきん》時《とき》・碓井貞光《うすいのさだみつ》・卜部季武《うらべのすえたけ》）の活躍を描いた作品に相場が決まっているが、『平家物語』には木曽義仲の四天王（今井兼平《いまいかねひら》・樋口兼光《ひぐちかねみつ》・楯親忠《たてちかただ》・根井行親《ねいゆきちか》）が見え、戦国武将では織田信長の四天王（柴田勝家《しばたかついえ》・滝川一益《たきがわかずます》・丹羽長秀《にわながひで》・明智光秀《あけちみつひで》）、徳川家康の四天王（井伊直政《いいなおまさ》・本《ほん》多《だ》忠勝《ただかつ》・榊原康政《さかきばらやすまさ》・酒井忠次《さかいただつぐ》）などが有名だ。


　ところで、義経の四天王には三通りの説があるのをご存知だろうか。

　まず、『源平盛衰記』巻四十八では、佐藤継信・忠信兄弟と鎌田盛政《もりまさ》・光政《みつまさ》兄弟のあわせて四人を四天王というくくり方で記している。佐藤兄弟についてはすでに述べたとおり、奥羽時代からの股肱の家臣。また鎌田兄弟の父・鎌田次郎正清《まさきよ》（政家《まさいえ》とも）は、藤原秀郷の弟千尋《ちひろ》の子孫で、駿河《するが》国安倍郡長田村字鎌田（静岡県沼津市）に住み、代々源氏に仕えた家柄である。正清は主君・源義朝に従って平治《へいじ》の乱に参加し、東国めざして敗走の途中、尾張（現在の愛知県）で義朝とともに殺された。息子たちも父に倣《なら》って源氏に忠誠を尽くし、義経の麾下《きか》に属して平家と戦ったが、一の谷の戦いで兄・盛政は戦死した。

　二つめの義経四天王とは、歌舞伎の『勧進帳』で義経の従者として弁慶とともに登場する、常陸坊海尊・伊勢三郎義盛・亀井六郎重清《しげきよ》・駿河次郎清重《きよしげ》の四人のことをさす。駿河次郎は義経の中間《ちゅうげん》（武家に仕える従者）として『源平盛衰記』に名前が見えるが、系譜未詳。亀井六郎は紀州熊野（和歌山県）出身で、『義経記』では兄の鈴木三郎とともに義経を守って戦い、衣川の合戦で殉じたとする。

『勧進帳』は江戸時代も終わりに近い天保《てんぽう》十一年（一八四〇）に、能の「安宅《あたか》」をもとに書かれた歌舞伎舞踊の名作中の名作で、「またかの関」といわれるほど、現在もひんぱんに上演される。ここに登場する四天王は、関所を踏み破ろうと提案して弁慶に思い直すよう説得され、強力《ごうりき》（山伏の荷物を背負って運ぶ下男）に扮した義経を関所の番卒《ばんそつ》に見とがめられていきり立つのを弁慶に押しとどめられるなど、弁慶の引き立て役に徹しており、これといって目立った活躍はしない。

そして三つめは、常陸坊海尊の替わりに片岡八郎を加えて、「亀井・片岡・伊勢・駿河」と呼びならわしたもの。

いずれにしても、後世の人が勝手に選んだ四人を、四天王扱いしただけのことらしい。

77　義経に最期まで従った家来は何人？

兄・頼朝の派遣する鎌倉軍の追討を避けるため、西海下りを決意した義経は、文治元年

（一一八五）十一月三日の辰の刻（午前八時ごろ）に京都を出発する。

義経に同行したのは、叔父の新宮十郎行家《しんぐうじゅうろうゆきいえ》、従者は前中将時実《さきのちゅうじょうときざね》（「平家一門でなければ人間ではない」とうそぶいたことで有名な平時忠《ときただ》の息子）・侍従一条良成《よしなり》（義経の同母弟）・伊豆有綱・堀弥太郎・佐藤忠信・伊勢三郎・片岡八郎・弁慶法師ら二百騎だったが、翌四日に摂津国河尻で多田行綱の襲撃を受けてからはバタバタと落伍《らくご》者が増え、さらに二日後、大物浦で船が転覆してからはほとんどの従者が離散してしまった。

それからあとの義経の具体的な足取りは杳《よう》として知れず、『吾妻鏡』や『玉葉《ぎょくよう》』といったある程度信頼のおける記録類でさえ、「吉野山にいるらしい」「大和国多武峰《とうのみね》に向かったらしい」「比叡山の悪僧たちにかくまわれているらしい」「すでに奥州に下ったらしい」などといった風評・噂のたぐいを載せるばかりで、義経が何人の家来を連れて、いつ、どのルートを通って奥州平泉の藤原秀衡の保護下に入ったのか、真相は永遠に謎《なぞ》だ。

文治三年十月二十九日に秀衡が没すると、家督を継いだ息子・泰衡《やすひら》は文治五年閏四月三十日、五百騎の兵を率いて義経の住む衣河館《ころもがわのたて》（衣川館）を襲った。『吾妻鏡』には「家人たちは攻撃を防ごうとしたが、ことごとく敗北した。義経は持仏堂に入り、まず妻（二十二歳）と子（女子四歳）を殺害し、次《つ》いで自殺した」とあるばかりで、家人たちの数や名前を記していない。つまり、公の史料からは、この衣川の戦いの詳細をうかがい知ることは

伝・亀井重清戦死地にある亀井之松（岩手県平泉町）

できないのだ。

だが、わからないことに関して想像をたくましくし、伝説や風聞をもとにまことしやかなウソを作り上げるのが物語作者の常で、その代表格が『義経記』第八「衣川合戦の事」だ。

それによると、五百余騎の敵勢に対し、迎え撃つ義経の郎党は、武蔵坊弁慶・片岡八郎・鈴木三郎・亀井六郎・鷲尾三郎《わしおさぶろう》・増尾十郎《ましおじゅうろう》・伊勢三郎・備前平四郎《びぜんへいしろう》、以上の八人。各人とも驚異的な力を発揮して敵を討ち取っていくが、しょせん多勢に無勢、次々と討死していく。そして最後まで残った弁慶は、ひとりで義経を守るべく獅子奮迅《ししふんじん》の大活躍をして敵を斬り防ぎ、鎧に無数の矢を受け、長刀《なぎなた》を逆さまに杖《つえ》に突き、とうとう立ったまま往生する。

もはやこれまでと覚悟した義経の自害を見

届け、最期まで世話をするのは、義経の北の方（久我《こが》の姫君）の傅《めのと》（守り役の男性）十郎権頭兼房《じゅうろうごんのかみかねふさ》だ。松尾芭蕉に従って平泉を訪れた河合曾良《そら》が「卯《う》の花に兼房見ゆる白毛《しらが》かな」（『奥の細道』所収）と詠んだことで有名な老臣兼房も、系譜未詳で実在したかどうかよくわからない人物だが、『義経記』でクローズアップされた人物として、長く後世に語り伝えられたのである。

第8章

義経伝説を彩った輝かしい脇役たちの謎

78 義経の兄たちは、その後どうなったのか？

義経は父・義朝の九番目の子（八番目という説もある）であるため、「九郎義経」あるいは「九郎判官」と呼ばれている。

義朝は若いころは鎌倉を本拠地として源氏の基盤を固めた。相模《さがみ》武士の家の女性を妻に迎え、長男・義平《よしひら》、次男・朝長《ともなが》はこの時期に生まれている。ところが熱田《あつた》大宮司・藤原季《すえ》範《のり》の娘を妻に迎えたのを機に京に上ると、三十一歳の若さで下野守《しもつけのかみ》に任じられた。頼朝の母はこの大宮司家の娘・由良御前《ゆらごぜん》で、頼朝は母の実家の熱田神宮（名古屋市熱田区）で生まれ、京都で育ったと思われる。

頼朝の弟のうち、希義《まれよし》と義門《よしかど》は頼朝と母が同じだという説もあるが、正確なところはわかっていない。義門は早世したともいわれている。範頼の母は遠江《とおとうみ》国池田宿（静岡県磐田市）の遊女で、幼少期を蒲御厨《かばのみくりや》（浜松市）ですごしたことから「蒲冠者《かばのかんじゃ》」と呼ばれた。

次に義朝の寵愛《ちょうあい》を受けたのが九条院《くじょういん》（近衛天皇の皇后・藤原呈子《ていし》）に仕えていた常盤御前《ときわごぜん》の、今若（全成《ぜんせい》）、乙若（義円《ぎえん》）、牛若（義経）の三人の子をもうけた。保元《ほうげん》の乱（一一五六）の際、義朝は平清盛と協力して後白河天皇に味方した功績が認められ、左馬頭《さまのかみ》に昇進した。

墨俣の合戦で戦死した義経の兄・義円の墓（岐阜県墨俣町）

その後、清盛との対立が表面化、三人目の牛若が生まれた平治《へいじ》元年（一一五九）の十二月に平治の乱が勃発したのである。義朝軍は束《つか》の間の勝利のあと、惨敗を喫して東国へ逃れようとしたが、義朝は尾張《おわり》国野間（愛知県美浜町）で旧臣の長田忠致《おさだのただむね》に殺され、朝長は戦傷がもとで亡くなり、京へ戻った義平も捕えられて斬首された。

美濃《みの》国青墓（岐阜県大垣市）で平家方に捕われた頼朝は、死罪となるところを清盛の義母の池禅尼《いけのぜんに》の嘆願で一命を取りとめて伊豆《いず》（現在の静岡県）へ配流。頼朝の同母弟とみられる希義も土佐《とさ》国介良《けらの》庄（高知市）に流されたが、治承《じしょう》四年（一一八〇）、頼朝の挙兵を知った平家によって殺害された。

武蔵国吉見（埼玉県吉見町）にいた範頼は

頼朝の挙兵に応じて兄のもとへ駆けつけ、木曽義仲追討や一の谷の合戦に参加。壇ノ浦の合戦後に九州方面の戦後処理を終えて鎌倉に帰還したが、建久《けんきゅう》四年（一一九三）、謀反の疑いで伊豆修善寺《しゅぜんじ》（静岡県伊豆市）に幽閉《ゆうへい》され、頼朝による追討を知って自害した。

義経ら三兄弟は、兄二人はただちに出家、牛若は七歳までに出家することを条件に命を助けられた。

長兄の今若は醍醐寺《だいごじ》で出家して全成と名乗ったが、頼朝の挙兵に呼応して駿河《するが》国阿野庄（静岡県沼津市）に移り、北条時政の娘・阿波局《あわのつぼね》（政子の妹）を妻に迎えて阿野法橋《ほっきょう》と呼ばれた。鎌倉幕府の一角を担《にな》ったが、頼朝没後間もない建仁《けんにん》三年（一二〇三）に謀反の罪で常陸《ひたち》（現在の茨城県）に流され下野《しもつけ》（現在の栃木県）で誅殺、子の頼全《らいぜん》も京都東山延年寺《えんねんじ》で誅殺された。

次兄の乙若は、後白河法皇の皇子・八条宮円恵親王《はちじょうのみやえんけいしんのう》のもとで出家して円成《えんせい》、のちに義円と名乗ったが、養和《ようわ》元年（一一八一）、美濃の墨俣《すのまた》で戦死した。岐阜県墨俣町下宿では今も「義円地蔵」が地元の人たちの手で守られている。

落馬がもとで死んだといわれる頼朝を含めて、九人の兄弟のなかに天寿をまっとうした者はひとりもいない。源平争乱の主役とはいえ哀《あわ》れなことである。

79 義経の叔父・為朝と行家はどんな人物だった？

頼朝は清和《せいわ》源氏の嫡流といわれる。清和源氏は第五十六代清和天皇の子孫（五十七代陽《よう》成《ぜい》天皇の子孫という説もある）で、源経基《つねもと》、満仲《みつなか》を経て、頼光《よりみつ》の摂津源氏、頼親《よりちか》の大和源氏、頼信《よりのぶ》の河内源氏などに分かれた。その意味での嫡流は摂津源氏だが、河内源氏の頼信が平忠常《ただつね》の乱を平定、その子の頼義《よりよし》、孫の義家《よしいえ》が前九年・後三年の役を鎮圧して東国に勢力を伸ばして武家の棟梁《とうりょう》となり、武家源氏の主流となっていったのである。

ところが、義家のあとを継いだ為義《ためよし》の時代に保元の乱（一一五六）が起こると、為義や八男・為朝《ためとも》らは崇徳《すとく》上皇側、嫡男・義朝は後白河天皇側と、敵味方に分裂。天皇側の夜討ちで勝敗はあっけなく決したが、勝組の義朝は父・為義はじめ、四男・頼賢《よりかた》、五男・頼仲《よりなか》、六男・為宗《ためむね》、七男・為成《ためなり》、九男・為仲《ためなか》、さらに為義の愛妾《あいしょう》の四人の幼児（乙若、亀若、鶴若、天王）まで斬殺してしまった。父に従った兄弟のなかで助命されたのは、八男・為朝と十男・行家《ゆきいえ》の二人のみである。

ちなみに次男・義賢《よしかた》（木曽義仲の父）は、保元の乱の前年に武蔵国大蔵（埼玉県嵐山《らんざん》町）で義朝の長男・義平に討たれ、三男の志太義広《しだよしひろ》はこの時期は常陸（現在の茨城県）にとどまっていた（のちに頼朝に離反して追討）。

身の丈七尺（約二一〇センチ）以上、強弓《ごうきゅう》の使い手として名高い為朝は、あまりに乱暴だったため、十三歳で父に勘当されて九州に追放された。豊後国《ぶんごのくに》（現在の大分県）で阿蘇《あそ》氏の婿《むこ》となり、鎮西総追捕使《ちんぜいそうついぶし》を名乗って各地を転戦。「鎮西八郎」と呼ばれて朝廷の召還《しょうかん》にも応じなかったので、父が検非違使《けびいし》を解任された。やむなく上京した為朝を待っていたのが保元の乱であった。

『保元物語』では、為朝の奮戦ぶりが描かれているが、崇徳上皇側だった為朝は敗れ、近江《おうみ》（現在の滋賀県）の坂田で捕えられた。だが、武勇を惜しまれて死罪を免ぜられ、肩の筋を切られて伊豆大島へ配流となる。その後、近隣の島々を荒らしまわったことをとがめられ、嘉応《かおう》二年（一一七〇）に追討され、大島で自害した。

しかし、さすがは剛勇《ごうゆう》で知られた為朝、中世には鬼ヶ島征伐のヒーローとして語られ、伝説の英雄となる。江戸時代には曲亭馬琴《きょくていばきん》の『椿説弓張月《ちんせつゆみはりづき》』で琉球《りゅうきゅう》（現在の沖縄県）に漂着して王位継承の内紛を平定、為朝の子・舜天丸《しゅんてんまる》が王位を継承するという大冒険長編の主人公となった。

十男の行家は、熊野に隠れ住んだあとに八条院の蔵人《くろうど》となった。八条院は鳥羽天皇と美《び》福門院《ふくもんいん》の皇女で、莫大《ばくだい》な荘園を受け継ぎ、不遇な皇子や皇女を庇護していた。後白河の第二皇子・以仁王《もちひとおう》も八条院の猶子《ゆうし》となり、治承四年（一一八〇）に平家討伐の令旨《りょうじ》を発した。『吾妻鏡』は、行家がこの令旨を伊豆の北条館に届け、頼朝がそれを開くところから書きはじめられている。以仁王の挙兵は宇治川合戦の敗戦で失敗したが、平家討伐の意志は八条院の使いを装った行家と八条院の荘園を通じて諸国に伝えられ、頼朝もこの令旨を旗印に挙兵した。

行家は三河国《みかわ》（現在の愛知県）に陣取って鎌倉方の前線基地のような役割を果たし、寿永《じゅえい》二年（一一八三）七月、北陸・近江路から入京する義仲と相前後して大和から京に入った。その後、頼朝と義経の不和が表面化すると、義経に味方して頼朝から謀反人と断じられ、文治《ぶんじ》二年（一一八六）、京から脱出したが、潜伏先の和泉国《いずみ》（現在の大阪府）で追手の北条時定《ときさだ》らに捕えられて斬首された。

80　夫・頼朝と義経の確執を北条政子はどう見ていた？

頼朝と義経の確執《かくしつ》の原因は、梶原景時の告げ口や頼朝の性格などに求められがちだが、その背後には、いかなる手段を用いても武家社会の主従関係を徹底させようという頼朝の強い意志と、後白河法皇の権謀術数《けんぼうじゅつすう》が渦巻いていた。

頼朝には異母兄が二人いたが、義朝は母が熱田大宮司の娘である頼朝を嫡子として扱った。その家柄は義朝に下野守の職をもたらし、弱冠十二歳の頼朝に皇后宮権少進の身分を与え、さらに上西門院《じょうさいもんいん》(後白河の同母姉)蔵人、二条天皇(後白河の皇子)の蔵人へと昇進した。平治の乱で表舞台を去った頼朝はおよそ二十年の空白を経て、打倒平家の挙兵という驚愕《きょうがく》のニュースとともに再登場してくるが、各地で本格化する反平家の動きのなかでも頼朝の知名度は際立っていた。それは義仲や義経らと決定的に異なる点である。

挙兵した頼朝が義経はじめ、離散していた「弟」たちとの再会を喜んだことは間違いないだろう。しかし、源氏の嫡男は頼朝であり、実弟であれ従兄弟であれ、義経であれ義仲であれ、現実社会では頼朝の代官でしかない。平家の都落ちで朝廷が示した勲功の序列は、第一が頼朝、第二が義仲だった。

義経の場合は一の谷合戦後、後白河から検非違使《けびいし》、左衛門少尉《さえもんのしょうじょう》に任じられたことが頼朝を激怒させたといわれている。武士に対する人事・賞罰権を握って統制力を強化しようと考えていた頼朝にすれば、兄に無断で任官した弟というよりも、統率者の存在を無視した一代官の軽率な行動として許せなかったのだ。

一方、後白河は権力者の立場から頼朝の考え方を理解していたにもかかわらず、義経に官位を与えたばかりか、大納言・平時忠《ときただ》の娘を妻にさせ、兄弟対立のお膳立てをした。事態は頼朝の思惑どおりに運び、兄が実弟を討つことで武家社会の厳しい秩序を内外に示すとともに、最大の抵抗勢力である奥州藤原氏を打倒することに成功した。後白河は結果的に武家政権の基盤固めを援護し、朝廷の立場を相対的に弱めてしまったのである。

こうした頼朝のやり方をもっとも身近で見ていたのが妻の北条政子だ。吉野で捕えられた静《しずか》が鎌倉に送られてきたとき、その舞を見たいと主張したのは政子だった。

「兄弟が初めて出会ったあの日に時間を巻き戻せたらいいのに」と歌う静の舞に頼朝は激怒したが、政子は「義経との契《ちぎ》りを忘れずに恋い慕《した》う姿はまさに貞女。しかも芸は幽玄《ゆうげん》そのもの」と褒めたたえ、静と母・磯禅師《いそのぜんじ》は政子の気づかいで無事に京へ送り届けられた。政子は親の決めた婚約者のもとから逃げ帰って頼朝を選んだ自分の半生に照らし、境遇が変わっても義経を慕いつづける静の気持ちに共感を覚えたのだろう。このほかにも木曽義仲の妹・宮菊《みやぎく》を猶子とし、所領横領の嫌疑《けんぎ》を晴らす手助けなどもしている。

のちに「尼将軍」として政治の中枢に関わる政子には政治的素養があり、主家と御家人との主従関係を確立しようという頼朝の考えもよく理解していた。だから政治的な判断のみで実弟や親族を非情に切り捨てていく頼朝と、ときにその妥当性に疑問を抱く周囲とのあいだで、さりげない緩衝材《かんしょうざい》のような役割を果たせたのである。

81 鎌倉御家人のなかで義経を評価していた人物は？

義経が率いた源氏軍は元暦二年（一一八五）三月二十四日、壇ノ浦の合戦で平家一門を滅亡させた。四月十一日に鎌倉で戦勝の知らせを受けた頼朝からは、義経は捕虜を連れて上洛、範頼は九州に残って平家の所領を処分するようにという指示が出され、神鏡《しんきょう》と神璽《しんじ》を奉じた義経一行は四月二十五日に都へ凱旋した。

このあいだの四月二十一日、義経の軍奉行として同行していた梶原景時の書状が頼朝に届けられた。その内容は義経の気ままな振る舞いに嫌気がさし、自身の早々の帰参を願うものだった。これを見た頼朝は宇治川、一の谷、屋島など、一連の合戦で義経と行動をともにしていた田代冠者信綱《たしろかんじゃのぶつな》に対して、「今後、鎌倉に忠誠を尽くそうと思う者は義経の指揮に従わないように内々に触れよ」と申し送ったのである。

兄の不興は義経にも伝わったため、郎党の亀井重清《しげきよ》に「異心を持ちませぬ」としたためた起請文を届けさせたが、頼朝の怒りはおさまらない。義経は五月七日に平宗盛《むねもり》・清宗《きよむね》父子らを連れて京都を出立したが、十五日に腰越《こしごえ》（鎌倉の西の玄関口）に着くと、北条時政が宗盛父子らだけを引き取っていった。それとは別に小山朝光《おやまともみつ》が頼朝の使者として訪れ、鎌倉に入らず当地に逗留《とうりゅう》するように命じられたのである。

ところが、何日待ってもいっこうに音沙汰《おとさた》がない。ようやく二十四日になって畠山重忠《はたけやましげただ》から届いた内々の知らせは、頼朝は義経の舅《しゅうと》にあたる河越重頼《かわごえしげより》に義経の討手を命じたが、重頼が辞退したため、改めて重忠に命令が下されたというものだった。

重忠は宇治川の合戦や鵯越の活躍で名高い剛勇の武将で忠義に厚く、「鎌倉武士の鑑《かがみ》」と評される人物だ。義経とともに平家を追討した経験から、義経の軍事的な才覚を評価していたのだろう。『義経記《ぎけいき》』によると「景時の告げ口を信じ、源氏の御曹司で平家追討に第一等の功名を立てた判官殿を謀反人扱いするのは納得できかねる」と辞退したという。

義経の戦いぶりを間近に見てきた坂東《ばんどう》武士たちの多くは、この時点ではまだ義経に同情的であったと思われる。しかし正面切って頼朝にとりなす者はほとんどいなかった。

この一件で頼朝の怒りの並々ならぬことを悟った義経は、無念な気持ちを書状にしたため、頼朝の信任の厚い大江広元《おおえのひろもと》に託した。これが有名な「腰越状《こしごえじょう》」で、『吾妻鏡《あずまかがみ》』に全文が載っているものの、真偽のほどは定かではない。

義経のこの書状を広元が書き改めて提出したが頼朝の心を動かすには至らなかったという説と、広元が握りつぶしてしまったという説がある。大江広元は京で名高い学者で、頼朝にスカウトされて鎌倉に来た人物だが、前者であれば実直《じっちょく》で戦上手な義経の良き理解者であり、後者であれば冷徹な実務官僚ということになるだろう。

82 義経を失脚に追いこんだ梶原景時、頼朝の死後は……？

梶原景時にはどうしても〝悪役〟のイメージがつきまとうが、初登場のシーンは劇的だ。治承四年（一一八〇）、伊豆で挙兵した頼朝が大庭景親《おおばかげちか》の夜襲から逃れて石橋山に潜んでいたとき、追っ手の一員だった景時はあえて頼朝を見逃した。危機を脱した頼朝は安房《あわ》（現在の千葉県）に逃れ、上総《かずさ》、下総《しもうさ》（ともに現在の千葉県）、武蔵《むさし》（現在の東京都・埼玉県）の武士たちを従えて鎌倉に入り、富士川の合戦で平家を破って戦局を一変させた。景時のこの行動が日本の歴史を大きく変えたのだ。

明けて治承五年（養和元＝一一八一）正月、改めて頼朝に見参した景時は頼朝の信任を得て、鶴岡若宮の造営、長子頼家《よりいえ》の出産などの奉行を務める。さらに侍所所司《さむらいどころしょし》に任ぜられ、上総介広常《かずさのすけひろつね》を謀殺するなど、側近として重宝がられた。都落ちした平家の追討には息子の景季《かげすえ》、景高《かげたか》らと加わり、平重衡《しげひら》を捕えるなどの武勲も挙げている。

その後、播磨《はりま》（現在の兵庫県）、美作《みまさか》（現在の岡山県）の守護に任じられると、自身は京都にとどまって混乱の収拾にあたり、領国へは代官を派遣して畿内に勢力を伸ばした。このころから義経の近くにいたわけだが、景時は常に頼朝の忠実な代官として義経を監視するような視線を向けていた。

そして文治元年（一一八五）、屋島や壇ノ浦の合戦で、戦果のほとんどが義経に帰したことに対する屈辱感が頼朝宛の告げ口の書状となったのである。

頼朝は部下の告げ口を鵜呑《うの》みにするような人物ではないが、景時の「しょせん大将にはなれない」という義経観は、ある面では当たっている。義経は局地戦には強くても、天下の情勢を読み、人心を掌握して大軍を統率するタイプの人間ではない。とはいえ景時の告げ口に端を発したともいえる兄弟の反目は、文治五年の奥州征伐、閏四月の衣川で悲劇的な決着をみたのだった。

以後も景時は侍所所司として御家人を取り締まる立場にあり、頼朝に忠実な部下でありつづけた。言い換えれば頼朝という主君あってこその景時であり、建久《けんきゅう》十年（正治《しょうじ》元年＝一一九九）に頼朝が没して以後は、継嗣《けいし》・頼家との関係強化に腐心した。それは安達景盛《あだちかげもり》、結城朝光《ゆうきともみつ》の讒訴《ざんそ》という形で現われたが、景盛追討は政子によって阻まれ、朝光については逆に御家人六十六人が景時糾弾の連判状を提出するという大事件に発展した。

鎌倉を追われた景時は正治二年正月、後鳥羽《ごとば》上皇の宣旨《せんじ》を得て九州に新政権を樹立しようと上洛を企《くわだ》てるが、駿河国狐崎《きつねがさき》（静岡市）で討たれた。景時の讒言を当事者の朝光に伝えて騒ぎを大きくした阿波局は政子や北条義時《よしとき》の妹で、千幡《せんまん》（実朝《さねとも》）の乳母。事件の背後には、実朝擁立を画策する政子らの思惑が見え隠れしている。悪評一辺倒《あくひょういっぺんとう》の景時のためにつけ加えるなら、景時父子は和歌や連歌を学んで頼朝とのつながりを深めた。動機は頼朝に取り入るためだったかもしれないが、『吾妻鏡』にみるかぎり、坂東武士のなかで和歌を詠《よ》んだのは景時父子のみである。

83 義経を京都で襲撃した土佐坊昌俊はわざと討たれた？

文治元年（一一八五）六月、義経は鎌倉の地を踏むことなく京へ戻ったが、頼朝の怒りはさらに厳しさを増した。かつて与えた恩賞地を召し上げ、兄弟の叔父にあたる行家を謀反人と断じ、その追討を義経に命じたのである。

これに対して義経は行家をかくまい、兄への離反を鮮明にした。義経や行家の動向を探っていた景季（梶原景時の子）は十月六日に鎌倉に帰参、報告を受けた頼朝は土佐房昌俊《とさのぼうしょうしゅん》に義経襲撃を命じたのだ。

鎌倉方の動きを察知した義経は十一日、十三日と相次いで後白河に願い出て、十六日に頼朝追討の宣旨の発給を要求した。昌俊らは十七日夜に京都堀川の義経の館を襲撃したが、

『吾妻鏡』によると、鎌倉を出立した軍勢は八十三騎で襲撃に加わったのは六十余騎。九条兼実は日記『玉葉』に児玉《こだま》党三十余騎が寄せ攻めたと記している。

双方の戦力差は不明だが、義経は郎党の佐藤忠信、駆けつけた弁慶や行家らに守られ、襲撃は失敗に終わる。鞍馬山へ逃げた土佐房は義経に好意的な衆徒や法師らに捕えられ、義経のもとへ送り届けられて六条河原で斬首されたという。

幸か不幸か、この夜襲が後押しした形となり、翌十八日付けで頼朝追討の宣旨が下された。しかし、この宣旨は義経の圧力に屈した結果発せられたもので、後白河の本意でないことは明らかだった。そのため義経・行家は近隣の武士たちの支持を得られず、むしろ彼らこそ謀反人とみなされ、十一月三日に都を落ちていった。

この夜襲の主役、土佐坊昌俊を渋谷重家《しぶやしげいえ》の嫡男・金王丸《こんのうまる》だとする説がある。渋谷氏は秩父《ちちぶ》氏の支族で、武蔵国荏原郡司（神奈川県川崎市）の荘官となった河崎冠者基家《かわさきかんじゃもといえ》の子孫。金王丸は義朝に仕え、平治の乱で敗走した義朝が長田忠致に討たれた際も随行《ずいこう》していた。義朝の最期のようすを常盤御前に伝えたあと、出家して「土佐坊昌俊」と名乗ったという。帰郷して主君の菩提《ぼだい》を弔っていたが、頼朝の挙兵に応じて傘下《さんか》に加わっている。

この前半生が真実なら、頼朝よりも義経に親近感を抱くのではと思うが、源平合戦では範頼の軍に属して西国を転戦している。敬愛《けいあい》していた主君の子供どうしの争いを見るに忍

渋谷氏の居城跡に建つ金王八幡宮（東京都渋谷区）

びなく、討たれるのを覚悟で討手に志願したのかもしれない。

『吾妻鏡』によると、義経追討に尻込みする武士が多いなかで、昌俊がみずから志願したことを喜んだ頼朝は、昌俊の母と子に下野国中泉庄（栃木県大平町）を与えた。当時の昌俊の住居は鎌倉市雪ノ下の宝戒寺《ほうかいじ》の近くにあったといわれ、今は邸跡を示す碑がひっそりと建っている。

また東京都の渋谷区最古の木造建築とされる金王八幡宮は、渋谷氏の居城だった渋谷城の本丸跡に建てられたもので、義朝に仕えた金王丸にちなんで名づけられた。江戸時代には江戸八所八幡として崇敬《すうけい》を集め、現在は若者の街として知られる〝渋谷〟の地名もこの一族に由来している。

84 歴史の転機に立ち会った安宅関の役人・富樫介《とがしのすけ》の人物像

都落ちした義経主従が奥州に向かったことを知った頼朝は、諸国に新しい関を設けて一行を取り押さえようとした。頼朝の命を受けて加賀《かが》国安宅《あたか》（石川県小松市）の関所で待ち受けていたのが富樫介《とがしのすけ》である。

義経は山伏に身をやつしても郎党とは違う気品があるため、強力《ごうりき》を装って詮議《せんぎ》の目をごまかそうとしたが、義経の顔を知っていた者に見とがめられる。しかし機転をきかせた弁慶は自分たちは東大寺再建勧進だと主張し、さらに、

「わずかな荷を背負っているのに遅れるばかりか、人に怪しまれるとは勘弁ならぬ」

と、手にした金剛杖《こんごうづえ》で強力姿の義経を容赦なく打ちすえた。そのあまりの激しさに肝を冷やした富樫介らは、思わず関の通過を認めたというのが謡曲『安宅』のストーリーで、歌舞伎の『勧進帳《かんじんちょう》』でも御馴染《おなじ》みの義経伝説だ。

『吾妻鏡』の文治三年（一一八七）二月十日条に、義経主従が伊勢、美濃などを経て山伏姿で奥州に赴いたことが記されているが、富樫介が一行を阻止しようとしたことについては、その他の史書を含めて確かな記録は確認されていない。

富樫氏は藤原北家の利仁《としひと》にはじまり、子孫は斉藤、林、富樫の三氏に分かれて加賀や越前に勢力を伸ばした。富樫氏の系譜『富樫記』によると、富樫入道家通《いえみち》は木曽義仲の軍に加わり、越前国燧城《ひうちじょう》（福井県今庄町）で手柄をたて、その子の家経《いえつね》は頼朝から加賀国を賜り、さらにその子の家直《いえなお》は承久《じょうきゅう》の乱（一二二一）でも勲功があったという。

安宅の関の富樫介は、この家直（家直を家通の叔父とする説もある）だといわれるが、ほかにも家通の兄弟の権介重純《ごんのすけしげずみ》、家通の祖父の弟など、諸説紛々としている。富樫氏が戦国時代の一向一揆で滅び、当時の系図が失われてしまったからだ。

しかし、加賀へ敗走した入道家通を追った平家の軍が、富樫、林の二つの城廓を奪取したことは『平家物語』（巻七「燧合戦」）や『源平盛衰記《げんぺいじょうすいき》』（巻二十八「源氏落燧城、北国所々合戦」）などにも語られている。また『源平盛衰記』では富樫次郎家経を富樫介と記し、安宅の渡の城郭を「安宅の城」と呼んでいる。『太平記』（巻二十一「仁遺勅被成綸旨事附義助攻落黒丸城事」）にも「加賀国富樫が城」が登場する。

富樫介は頼朝の命を受けて関所をかまえたが、義経主従を見逃してしまった、しかし、ここで義経が捕えられることは、頼朝が奥州征伐の口実を失うことを意味する。富樫介の素性は明らかではないが、彼もまた大きな歴史の転機に立ち会った人物だったのだ。

安宅の関は梯川《かけはしがわ》の河口の松原のなか、現在、安宅住吉神社があるあたりにかまえられたと考えられている。明治の歌人・与謝野晶子《よさのあきこ》はこの地で「松たてる安宅の砂丘其の中に清きは文治三年の関」と詠んだ。

85 義経の実母・常盤御前はその後どうなった？

義経の母の常盤御前は九条院の雑仕女《ぞうしめ》だった。九条院とは太政大臣・藤原伊通《これみち》の娘で、藤原忠通《ただみち》の養女として近衛天皇の中宮となった藤原呈子《ていし》のことである。

美貌の常盤は義朝に見出されて三人の子を産んだが、平治の乱で運命は暗転。幼い子らを連れて大和路へ逃れたが、平家に捕えられた母が六波羅で厳しい取り調べを受けていることを伝え聞き、九条院を通じて名乗り出た。母と娘は互いにかばい合って子供の助命を願ったので、清盛は三人の子の出家を条件に五人の命を助けたのである。

このの ち清盛が常盤を側室としたことは、『平治物語』や『源平盛衰記』などに語られているとおり。自分の命と引き換えに子を守った美談として語られるが、敗将の一族に選択の余地はなく、しかも女にこと欠かない清盛の庇護は長くは続かなかった。ほどなく一条大蔵卿・藤原長成《ながなり》の妻となり、一子能成《よしなり》を産んだが、このことが義経の運命の歯車を大きく動かした。長成が藤原基成《もとなり》の従兄弟だったからだ。

常盤御前の墓と伝わる五輪塔（岐阜県関ヶ原町）

基成は青年時代を鎮守府将軍として藤原氏の平泉ですごし、解任後も中央とのパイプ役を務めていた。しかも娘を基衡《もとひら》の息子の秀衡に嫁がせ、娘婿の秀衡からも絶大な信頼を得ていたのである。義経は七歳で鞍馬寺に入るまで長成の庇護《ひご》のもとで育ち、鞍馬寺での扶《ふ》持《ち》（養育費）も長成が負担した。奥州藤原氏とのつながりはこの義父のネットワークを活かしたものだったのだ。

このあとしばらく常盤は歴史の舞台から姿を消すが、平家滅亡後、義経が頼朝に追われる身となり、文治二年（一一八六）六月十日の『吾妻鏡』に「京の一条河崎観音堂の近くで義経の母と妹を見つけたが、捕えて関東へ送るべきかどうか」と問う記事がみられる。

義経の生母とはいえ、堂上《どうじょう》公家《くげ》（昇殿を許された高位の人）の妻となって久しい常盤を罪人のように扱うのは不隠当《ふおんとう》で、鎌倉方も何の手出しもしていない。能成に妹がいたという記録は見当たらないので、「妹」とは能成の妻だったのかもしれない（清盛とのあいだに生まれた廊《ろう》の御方もいるが…）。その後、常盤は鎌倉に護送されて頼朝に義経の行方を訊問《じんもん》されたが、のち不問とみなされて釈放され、京都に戻っている。その後の常盤の消息は不明だが、一説には義経が奥州に落ち延びたことを知ると、侍女の千種を伴って奥州へ向かった。しかし、美濃国不破関《ふわのせき》（岐阜県関ヶ原町）で、強盗に襲われ、金品を略奪されたあげく殺害されたといわれ、その無惨な最期を哀れんだ里人によって五輪塔が建てられている。

また、京の嵯峨野《さがの》、太秦《うずまさ》映画村の北西に「常盤の里」といわれる場所があり、源光寺《げんこうじ》の地蔵堂の傍《かたわ》らには里人が常盤のために建てた塚がある。生まれた場所も生没年も素性も明らかではないが、戦乱に翻弄《ほんろう》されながらも時の権力者に愛され、源氏、平家、藤原氏の子を産んで生き抜いた常盤御前は、単に美しいだけの女性ではなかったといえるだろう。

86　義経のパトロンといわれる金売吉次は「隠密」だった⁉

義経の鞍馬山脱出を手引きし、奥州平泉に連れて行ったのが金売吉次《かねうりきちじ》。「金売」とは金を扱う商人のことで、おそらく奥州の金や産品を都へ運び、都の絹織物や工芸品を北方へ運んで商っていた。道中の危険から身を守るため、大規模な隊列を組んで行動していたといわれるが、難所の多い当時の道中を考えると、おそらく一介の商人ではなく、情報収集などの使命をおびた隠密《おんみつ》のような役目も担っていたのだろう。

吉次はその出自も生没年も定かではない。名前ひとつとっても異論が多く、『平治物語』では吉次、『義経記』では吉次信高《のぶたか》あるいは吉次宗高《むねたか》、『源平盛衰記』では橘次末春《きつじすえはる》と変幻自在だ。義経の郎党のひとりである堀景光の前身が吉次だったとする説もある。

中世に作られた幸若舞《こうわかまい》の『烏帽子折』には、吉内、吉六という弟が登場するが、岩手県住田町には吉内が営んだ吉内金山があり、平泉から逃げた義経がしばらく滞在したという伝承をもつ。東北地方の金山の多くは金売吉次が金を掘ったところだとされ、それらの吉次伝説は炭焼藤太《すみやきとうた》と結びついている。なかでも有名なのが宮城県金成町《かんなりちょう》の言い伝えだ。

京の長者の娘が清水観音の「陸奥の金成の藤太と夫婦になれ」というお告げを信じ、はるばる都から訪ねていった。藤太は炭を焼いて暮らしていたが、長者の娘は藤太の炭焼窯の周辺が高価な砂金だらけであることに気づき、二人は大長者になった。この若夫婦にやがて吉次、吉内、吉六の三人の子が生まれ、京に上った兄の吉次は三条に大きな店を構えて「金売吉次」として知られるようになったというのである。

金売吉次の邸宅があったといわれる首途八幡宮（京都市上京区）

京都西陣《にしじん》の内野八幡宮は、奥州に出立する義経が道中の安全を祈願して以来、「首途《かどで》八幡宮」と呼ばれるようになった。吉次の邸があった場所だといわれているが、そういえば鞍馬口からも近く、京を脱出する策を練るには格好の立地だ。しかも、すぐ近くの千本釈迦堂（大報恩寺）の開祖、義空《ぎくう》上人は秀衡の孫であることから、この一帯が奥州藤原氏の出先機関のような場所だったのではないかという説もある。蓮台野《れんだいの》といわれたこのあたりは、いわゆる葬送の地で、時の権力がおよびにくい場所でもあった。

吉次出生地の伝承がある金成町常福寺《じょうふくじ》には、父の藤太が建てた吉次兄弟の墓があり、福島県白河市南西部の皮篭《かわご》にも三基の墓がある。これは『烏帽子折』の、三兄弟は奥州街道の白坂宿で盗賊に襲われて死んだというストーリーに基づくものだ。このほか栃木県壬生《みぶ》町に吉次の墓があり、平泉周辺では金鶏山《きんけいざん》の南方に吉次の墓と五輪塔がある。

吉次は奥州藤原氏の繁栄を支えた金に関連する技術者や商人たちの象徴的な存在で、その情報収集能力や機動力は藤原氏の存亡に直結した。彼あるいは彼らの秘匿《ひとく》的な任務ゆえに、その全貌はいまもって謎に包まれたままなのだ。

87 後白河法皇はなぜ「日本一の大天狗」といわれるのか？

「日本一の大天狗」とは、頼朝が後白河法皇に浴びせた言葉だ。文治元年（一一八五）十月、義経が後白河に頼朝追討の宣旨発給を迫ると、後白河は一度はそれを退けたが、義経の堀川館が頼朝の刺客に襲撃されたことで態度を急変、十八日に宣旨を下した。

兵力の結集に失敗した義経が十一月三日に京を去ると、ただちに頼朝の怒りを伝える使者が到着。後白河は鎌倉に弁明の使いを出して、義経追捕の院宣を発したが、頼朝に対して三度も追討命令を発した代償は大きかった。

後白河にしてみれば、清盛のときも義仲のときも眼前の圧力に屈しただけで、今度も「義経や行家の謀反は天魔《てんま》の所為《しょい》」だと言い逃れをした。しかし、頼朝は、「降りかかる災いを避けるためとはいえ、多くの朝敵を倒してきた頼朝をたちまち謀反人扱いし、叡慮《えいりょ》を欠いた院宣を発した後白河こそ日本一の大天狗だ」と断じ、後白河の側近が義経に加担したという嫌疑を執拗《しつよう》に主張した。

後白河の大天狗ぶりは義仲との関係においても指摘される。

寿永二年（一一八三）七月、頼朝方に先立って京へ進攻した義仲は、頼朝第一、義仲第二という朝廷の評価を覆して左馬頭《さまのかみ》・越後守《えちごのかみ》の官位を手に入れ、以仁王《もとひとおう》の遺児・北陸宮《ほくりくのみや》の皇位継承を主張した。平家による福原連行に甘んじた高倉上皇ではなく、命がけで平家を除こうとした以仁王の正当性を父である後白河に訴えたが、高倉の子に皇位を譲りたい後白河は義仲に平家追討を促《うなが》して西国へ追いやり、義仲不在のあいだに頼朝とひそかに交渉を重ねた。

義仲は頼朝の支配権を公認した「寿永二年十月十四日宣旨」を知って激怒。一触即発の状態のなかで後白河は御所（法住寺殿《ほうじゅうじ》）で戦闘態勢を整え、義仲が京を立ち退かなければ謀反人とみなすと通告した。義仲軍は十一月十九日に法住寺を襲撃、後白河を捕えて傀儡政権を樹立する。義仲追討の大義名分を握った頼朝は京攻めを敢行、義仲は寿永三年（一一八四）正月、近江国粟津《おうみのくにあわづ》（滋賀県大津市）で敗死した。

義仲失脚の原因は義仲軍の粗暴さや皇位継承問題への介入などにも求められるが、平家滅亡を画策し、源氏と平家の対立を促してきた後白河にとっては扱いやすい相手だったかもしれない。官位を与えれば素直に喜ぶ義経はなおさらだ。

保元時代に後白河の参謀的存在だった信西《しんぜい》入道藤原通憲《みちのり》は、後白河は「比類少なきの暗主だが、やると決めたことを必ず遂行する意志力と、一度聞いたことを忘れない記憶力の持ち主」と評した。

信西のいう意志力とは、積極的に意志を貫徹《かんてつ》しようとするものではなく、どんな局面であれ耐え忍んで、初志を貫き通すしぶとさである。後白河はいつだって降りかかる災いから逃れることを最優先させただけなのだ。頼朝はそれを知りながら「日本一の大天狗」という言葉で強い抗議の意志を示して政治的攻勢を強め、義経らの捜索と狼藉《ろうぜき》の防止という名目で、守護・地頭補任という重要な勅許を得ている。

『梁塵秘抄《りょうじんひしょう》』を編纂《へんさん》し、喉《のど》を何度も潰すほどに今様《いまよう》を愛した稀代《きだい》の歌い手というほうが、動乱の時代をのらりくらりと生き抜いた後白河の実像により近いかもしれない。

88 義経に協力的だった朝廷側の人物は?

源平合戦における義経の絶頂期は元暦二年(一一八五)、範頼軍を援護するために四国への出撃が命じられて以降だろう。慣れない土地への遠征に苦しむ東国勢は、兵糧や軍費の面からも短期決戦が至上命令だった。義経はその期待に応えて二月の屋島合戦、三月の壇ノ浦合戦で源氏の勝利を確定してヒーローとなった。

幼い安徳天皇や神剣を失くしたことへの批判もあったが、都が安穏でさえあればいい貴族たちは義経の勲功を素直に評価した。

壇ノ浦で捕虜になった平時忠《ときただ》は、義経に取り入るために娘を娶《めと》らせた。背後では後白河が糸を引いていたようだが、こうした動きはほかにもあっただろう。ただし時忠はその甲斐なく能登《のと》国珠洲《すず》（石川県珠洲《すず》市）へ流罪となった。

捕虜を護送した義経が鎌倉に入れずに帰京して間もない七月九日、京畿の大地震とその余震で蓮花王院《れんげおういん》や最勝光院《さいしょうこういん》など多くの仏閣や邸が破損したが、権中納言《ごんちゅうなごん》吉田経房《よしだつねふさ》の『吉記《きっき》』によると、不思議なことに義経邸の家屋や門垣は傾きさえしなかったという。公卿たちも義経の動向には常に関心があったようだ。

日を追うごとに頼朝と義経の対立は決定的なものとなり、義経、行家の鎌倉への離反の噂は十月十三日に右大臣九条兼実の耳にも届いたという。後白河は頼朝追討の宣旨を迫る義経の要求を退けたが、左大臣経宗《さだいじんつねむね》らは在京の武士が義経ひとりであることを理由に、とりあえず宣下して、あとで仔細を鎌倉に報告すればいいという立場をとった。

この直後に堀川夜討ちの事件が起こり、十八日に頼朝追討の宣旨が下されたが、義経はわずか半月後の十一月三日に退京。この間、義経らが後白河を西国に連行するなどの風説が流布して貴族たちを不安がらせた。ところが意外にも穏やかに去ったので、兼実は『玉葉《ぎょくよう》』に「義経らの所業はまさに義士。洛中の者はみな喜んでいる」と記し、「さしたる過怠もないのに頼朝に誅伐されようとしている」と同情的でさえあった。

兼実は多くの公卿が頼朝追討宣旨発給やむなしとしたなかで、頼朝に謀反の罪はないとただひとり宣下に反対した人物だ。この前年、頼朝が兼実を摂政《せっしょう》に推挙した事実を踏まえると、昇進を頼朝に賭けた兼実にとって義経は消えゆくべき英雄にすぎなかった。

この追討宣旨事件に関して、頼朝は後白河に公卿の更迭《こうてつ》を迫った。対象となったのは追討宣言を奉行した蔵人頭《くろうどのとう》葉室光雅《はむろみつまさ》、左大史《さだいし》小槻隆職《おづきたかもと》、頼朝への弁明の使者となった大蔵卿高階泰経《たかしなやすつね》、さらに参議平親宗《たいらのちかむね》、刑部卿《ぎょうぶきょう》頼経《よりつね》、右馬頭《うまのかみ》経仲《つねなか》、左馬権頭《さまのごんのかみ》業忠《なりただ》、左衛門尉《さえもんのじょう》知康《ともやす》、信盛《のぶもり》、信實《のぶざね》、時成《ときなり》、兵庫頭《ひょうごのかみ》章綱《あきつな》ら、併せて十二名と、数名の僧侶と陰陽師。

彼らと義経らとの協力関係の真偽は不明で、後白河の近臣が狙われた面もあるが、ともかくにも「行家、義経に同心して天下を乱そうとした凶臣」と断じられての解任劇だった。

第9章

時代を超えていま再び
よみがえる義経伝説の謎

89 衣川から逃れた「義経北行伝説」とは？

「英雄・義経は平泉で死んではいなかった」

俗にいわれる「義経生存説」であり、また「義経北行伝説」のはじまりでもある。こういった伝説は、最近になっていわれるようになったものではなく、早い時期から存在していたらしい。はたしてこのような奇妙な伝説の内容と北行ルートはどのようなものなのか、簡単ではあるが紹介しよう。

平泉での襲撃を逃れた義経たちは、宮古《みやこ》の黒森山《くろもりやま》（岩手県宮古市）に入り、この地で三年余り潜伏生活をおくった。しかし、この地も義経の生存を知った鎌倉の追手が迫ってきたため、八戸《はちのへ》高館（青森県八戸市）に向かうことを決意する。途中、九戸《くのへ》郡久慈《くじ》（岩手県久慈市）にて畠山重忠《はたけやましげただ》軍に遭遇してしまうが、情深い重忠は義経たちを見逃してくれたので、無事に八戸高館に着くことができた。

その後、義経は津軽十三湊《つがるとさみなと》（青森県市浦村）の領主で、藤原秀衡の弟・秀栄《ひでひさ》に使者を送り、秀衡の遺志を伝え、蝦夷《えぞ》へ逃れるための援助を願ったが、「時期を待て」との返事により、しばらく八戸にとどまった。建久《けんきゅう》五年（一一九四）、秀栄死後、家督を継いだ秀元《ひでもと》の援助で

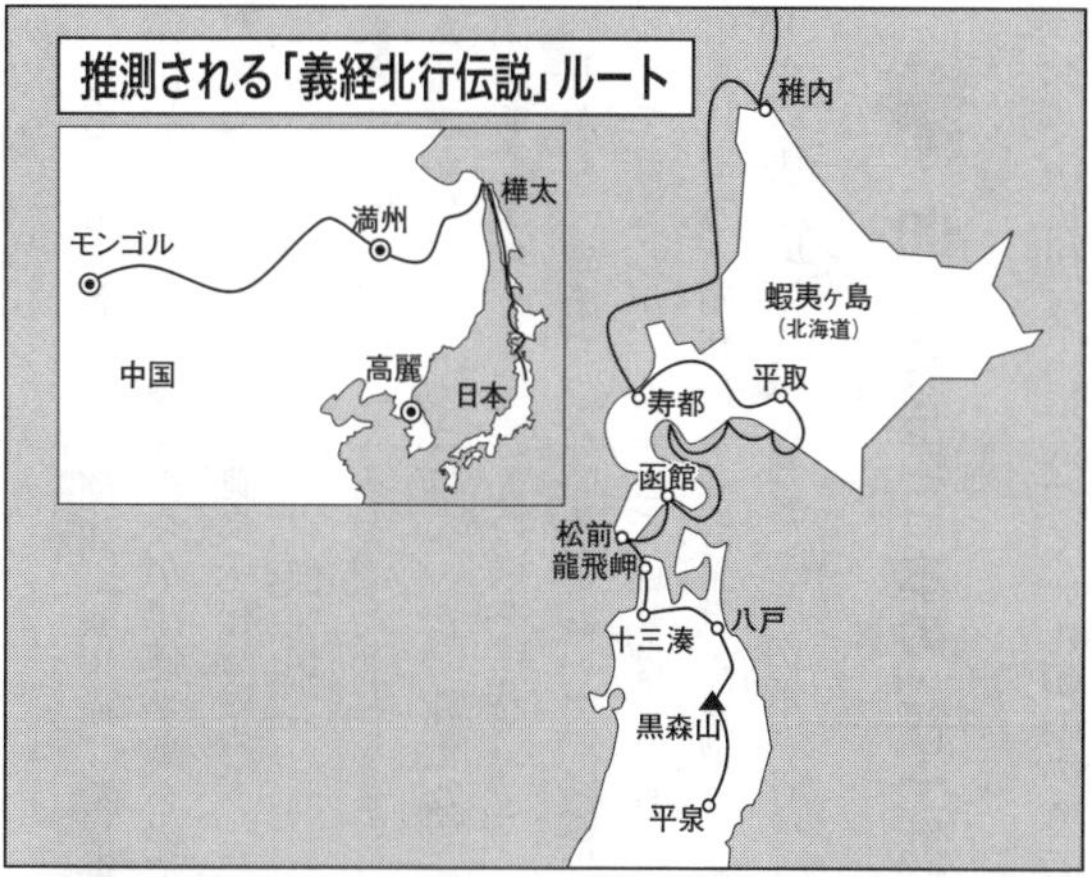

義経たちは、龍飛《たっぴ》岬《みさき》（青森県三厩《みんまや》村）から出航し、ついに蝦夷地へとたどりつく。

　ここからようやく北海道伝説の話に入る。義経は先住民のアイヌの人々と交流を深めたことで、「ハンガン様」と親しまれるようになり、義経たちが暮らしていた集落の首長ラムアンからは、「蝦夷ヶ島統一」を懇願されたが、義経はさらなる北の大国をめざすため、この地を去る。やがて樺太《からふと》に渡り、沿海州《えんかいしゅう》・満州《まんしゅう》を経由してモンゴルにたどりつくと、名前も成吉思汗《ジンギスカン》と改めて、広大な蒙古《もうこ》帝国を建国したのであった。

　以上が平取町《びらとりちょう》観光協会発行『びらとり義経物語・カムイ義経』をもとにした物語である。一見、ひとつの話に思われがちだが、実は東北・北海道・満州・モンゴルそれぞれの別説がつながったものだ。

そもそも、義経が衣河館《ころもがわのたち》（衣川館）で最期を遂げた当時から、「義経生存説」の風聞は存在していたが、義経たちが津軽半島を経由して蝦夷地入りした、という内容の話が語られるようになったのは寛文《かんぶん》十年（一六七〇）、林春斎《はやししゅんさい》が編纂《へんさん》した歴史書『本朝通鑑《ほんちょうつがん》』が最初だといわれる。やがて、享保《きょうほう》二年（一七一七）編纂の『鎌倉実記《かまくらじっき》』では伝説は満州まで拡大され、明治時代になると、とうとうモンゴルの英雄・成吉思汗と義経が同一人物といった奇説が生まれるようになった。壮大なロマンがあって大変おもしろいのだが、これらの説はあくまでも「伝説」の域を出ない。

しかし、さまざまな時代において、政治的・社会的な要因から創作された「義経北行伝説」ではあるが、逆に裏を返せば、それだけ早くから「義経」という存在が知られていたことになる。同時に宗教的感覚にも似た「義経信仰」といわれる考えが、北行地だけにとどまらず、広い地域にわたって伝承されてきた証《あかし》ではないだろうか？

（高木浩明）

90 義経は日本の「領土拡大」のシンボルだった!?

ひそかに伊豆山に入っていた頼朝の警護役・安達盛長《あだちもりなが》はある晩、足柄峠の北、矢倉嶽に腰掛けた頼朝様が酒杯を三度召し上がったあと、箱根権現《はこねごんげん》に参詣し、「左の御足にては、外浜をふみ、右の御足にては鬼界島を踏み」なさっていたという吉夢を見た。

これは『源平闘諍録《げんぺいとうじょうろく》』『曽我物語《そがものがたり》』にみられる源氏の日本平定を予兆した有名な一節である。中世文学では、「東は奥州・外の浜、西は鎮西・鬼界島」（『曽我物語』）というように、「東西南北」に特定の地域を入れることで、日本の境界を表現していた。ここでいう「外の浜」は津軽半島の陸奥湾側の海岸、「鬼界島」は鹿児島県の南方海上にある硫黄島《いおうじま》を示すと思われる。史実としては、鎌倉幕府の「蝦夷・奥州征伐」や「鬼界島征伐」のことを表わしている（関幸彦氏『源義経』など）。

保元の乱で伊豆大島に流され、当地で亡くなったとされる豪傑の源為朝は、古活字本『保元物語』では「鬼ヶ島」を征服し、さらに江戸時代に読本作者で知られた曲亭馬琴《きょくていばきん》の『椿説弓張月《ちんせつゆみはりづき》』に至っては、琉球国《りゅうきゅう》（現在の沖縄県）に渡り、同国平定に貢献した経緯がつづられる。

一方、奥州衣川館で自害したはずの義経は、別に記すとおり、生き残って蝦夷（北海道）へ渡り、アイヌの首長「オキクルミ」になったという伝説まで生み出していく。

英雄たちが国外に出ていく伝説は、簡単にいってしまえば、「日本そのものの領域拡大」つまり対外意識の自覚にほかならない。

義経について、室町時代の『お伽草子《とぎぞうし》』にある『御曹子島渡り《おんぞうししまわた》』では、奥州にいた御曹司・義経が秀衡の命で、千島《ちしま》（蝦夷ヶ島）の喜見城にある「大日の法」という兵法書を持ち帰るように勧められる。そして南方の島々をめぐり、蝦夷ヶ島の大王のもとに至り、その娘である朝日天女《あさひてんにょ》と通じることによって同書を得て、「源氏の御代《みよ》」を実現したという展開につながってゆく。

天上界の帝釈天《たいしゃくてん》の居城「喜見城《きけんじょう》」を舞台とし、大王の娘を「江の島弁財天の化身」と設定している点などは、天国や地獄といった目にみえないロマンティックな「冥界《めいかい》」を示し、実際にめぐった鬼界島などの南方の島々や、目的地である北方の蝦夷の千島という場所は、当時の国外進出という「領土的野心」が見え隠れする。

この『御曹子島渡り』が下地となって、義経の伝説は時代とともに、東北から北海道、さらに沿海州（ロシアの日本海沿岸地域）を経て満州へ渡り、さらにモンゴルに到達してジンギスカンになってしまうのである。

（久保　勇）

91 『御曹子島渡り』で義経がたずねた島々は？

先に紹介した『お伽草子』の『御曹子島渡り』は、奥州平泉の藤原秀衡のもとにいた義

『御曹子島渡り』に見る馬人島（秋田県立図書館蔵）

経が、不思議な島々を巡って蝦夷（北海道）のかねひら大王のいる喜見城へ行き、大王の娘の朝日天女と契《ちぎ》りを結んで、ついに大王秘蔵の兵法書を手に入れるという話で、ファンタジー色の強い冒険物語である。

十三湊（青森県市浦村）から「はやかぜ」という船に乗って出航した義経は、島々を巡って七十五日目に「馬人島《ばじん》」に着いた。島の住人は背丈が十丈ほどで、ギリシア神話に出てくる怪物「ケンタウルス」とは逆に、上半身は馬、下半身が人の姿をしており、腰には太鼓をつけていた。腰につけた太鼓は何かと尋ねると、背が高いので、転倒して起き上がれないときに、これを鳴らして助けを呼ぶためのものだという。

続いて八十五日目に着いた島は「裸島《はだか》」と

いい、その名のとおり、三十人ほどの男女がみな裸でいた。

「裸島」を出た義経が、次にたどり着いたのが「女護《にょご》の島」である。文字どおりの女ばかりの島だった。渚に上がると、四十歳ほどの者を先頭（なかには十七、八歳の者もいた）に二、三百人の女が現われた。女たちは「島の守り男こそきたれ」と、義経を島の守り神と思いこみ、いきなり取り囲んで斬り殺そうとする。この危機に得意の笛「たいとう丸」を取り出して、女たちの前で吹いて許される。義経は隙《すき》をみて船に乗って逃げた。

それから三十日後にたどり着いたのは、「小《ちい》さ子島」。またの名前を「菩薩《ぼさつ》島」といった。島人三十人ほどが現われたが、背が一尺五寸（約四五センチ）しかなかった。寿命は八百歳という。このあたり、『ガリバー旅行記』を髣髴《ほうふつ》とさせるが、ここは二十五の菩薩が来迎する島であった。

「小さ子島」をあとにしてから九十五日目、またもや不思議な島へとたどり着く。例によって渚に船を寄せてみると、四十歳くらいの者を先頭に四、五十人ばかりが現われた。「蝦夷が島」だった。義経を見て、「今日の餌食《えじき》がやってきた」と大喜びするや、たちまち鬼の姿に変じて義経に襲いかかってきた。義経はあわてることなく、例によって笛を取り出して吹き、笛の功徳《くどく》で命拾いし、かねひら大王のいる千島の都への道筋を聞く。神仏に祈念《きねん》してようやく千島の都にたどり着いた。大王の内裏《だいり》は大勢の鬼たちに守られていたが、やがて義経は大王との面会を許された。大王は背丈が十六丈あり、手足が八つ、角が三十あるといった姿であったという。（高木浩明）

92 北海道で義経信仰が広まったのはなぜ？

「東北や北海道の巡業では、義経ものの芝居を要求されることが多く、こうしたことがたびたびございます」とは、歌舞伎俳優七代目尾上梅幸《おのえばいこう》の言葉だが、「北海道では、その傾向がとくに強くて……」と続けられる点が注目される。北海道の人々が義経の登場を求めるのはなぜだろうか？

北海道の太平洋側中央部に位置する平取町には、義経をまつる義経神社がある。寛政《かんせい》十一年（一七九九）、幕府の命で蝦夷地探検を行なった近藤重蔵《こんどうじゅうぞう》が、アイヌのあいだに義経伝説が残っていることを知り、自分をモデルとした義経木像を寄進・安置したのがはじまりとされている。一説には蝦夷地に幕府の権威を示すため、徳川氏の祖である源氏を崇拝《すうはい》させる狙いもあったという。

そもそも義経が北海道に落ち延びたという伝説は、どこから生じたのだろうか。

「義経の蝦夷地入り伝説」についての研究は多いが、もっともよく参照されるのは、辞書

北海道平取町の義経神社と義経像（写真 / 平取町）

の編者でおなじみの金田一《きんだいち》京助《きょうすけ》氏『義経入夷伝説考』（一九一四）だろう。

金田一氏は義経伝説の発生について三つにまとめている。一つめは蝦夷の地名に「ベンケ」という名が存在することで、内地の人々に「弁慶の存在」を連想させたこと。二つめは「御曹子島渡り」の設定が蝦夷に持ちこまれ、義経が蝦夷の大王のもとに来たこと。三つめはアイヌに従来から伝わる英雄に義経の存在をあてはめたものである。金田一氏が立ち入った質問をすると、アイヌの人々は「ホンカイサマ」（判官様）の存在を認めつつも、内地から来た人々の影響で、アイヌの英雄「オキクルミ」と同一視するようになった経緯を語ったが、本来二人の人物は別人であると認識していたという。

つまり、異説にしても、林春斎『本朝通鑑』、徳《とく》川《がわ》光圀《みつくに》『大日本史《だいにほんし》』、新井白石《あらいはくせき》『蝦夷志《えぞし》』などといった多くの書物に「義経の蝦夷地入り伝説」が記され、それらが注目されるにしたがって、外来の人々とアイヌの交流のなかで、蝦夷地に義経伝説を循環、拡大させていったのだ。

だが、「義経入夷伝説などは、もとより虚説であるが、この伝説の存在はまぎれもない事実である」という金田一氏の指摘は重要だ。つまり、蝦夷という北海道の大地が義経の存在に〝中央〟に対する存在証明として、価値を見出した事実は変わらないのである。また、伝説が広く伝わった原因として、松前家による蝦夷進出以前に、「御曹子島渡り」がアイヌの人々に親しまれてきたことが考えられるのではないだろうか。

関幸彦氏も指摘されているように、義経伝説のからくりは「近代」という新しい時代の幕開けとともに、これまでの「幕府」(中央)という存在をどうとらえるかという問題と連動するように、伝説が膨らんでいったようである。

（久保　勇）

93　今なお続く「義経＝成吉思汗説」の最初は？

インターネットで「義経＝成吉思汗説」を検索すると、そのヒット件数の多さに驚かされる。では、このような奇説ともとらえられる「義経＝成吉思汗説」が、まことしやかにささやかれるようになったのは、いつごろからだろうか？

「義経＝成吉思汗説」を知るうえで必ず出てくるのが、大正十三年（一九二四）に刊行された小谷部全一郎《おやべぜんいちろう》氏の『成吉思汗ハ源義經也』である。書名のインパクトもさることながら、当時は空前の大ベストセラーになった輝かしい経歴をもっている。しかし、残念なことに、「義経＝成吉思汗説」を最初に唱えたのは彼ではない。

史料によれば、江戸後期のオランダ人医師・シーボルトの著書、オランダで公刊した『日本』（一八三二～五二）に、もっとも古い成吉思汗説が確認できる。しかし、この本はオランダで公刊されたために、日本においては、まだこの説が文献に残されることはなかった。江戸中期ごろより、多くの創作的な文献のなかで「義経が蝦夷を経由して満州へ渡った」とされる伝説は存在していたが、その後、成吉思汗になったと確認できる文献は残されていない。

日本人が唱えた最初の「義経＝成吉思汗説」は、英国ケンブリッジ大学に留学した末松《すえまつ》謙澄《けんちょう》氏の学術論文を、明治十八年（一八八五）に慶應義塾大学の学生、内田弥八《うちだやはち》氏が翻訳・刊行した『義経再興記《よしつねさいこうき》』が最初である。内容としては、シーボルトの「蒙古方面に義経を祀《まつ》った祠が現存する」という話を伝え、脚色《きゃくしょく》されたものであった。

ちなみに、現代において、空前の大ベストセラーになった小谷部説と誤解されているかもしれないが、源義経《ゲンギケイ》と成吉思汗を音読み表記して考えるということを最初に論じたのは末松説で、そのほかにも蒙古では「ゲ」「キ」「ジ」の区別がないこと、「汗」は敬称で「経」を当てた可能性があることなども末松説が最初であった。

これまで、シーボルト説・末松説・小谷部説といった戦前の成吉思汗説を紹介してきたが、それぞれに必然的な背景が存在しつつ、日本史学界から批判を浴びながらも、なお、現代までこれらの奇説が生きつづけているのは、おそらく、「伝説」や「俗説」とわかっていながらも、日本人の心のなかに「そうであってほしい」という「判官びいき」的な想いが根強く残っているからではないだろうか？

ちなみに余談ではあるが、末松謙澄氏の『義経再興記』を翻訳した内田弥八氏は同書を刊行する際に、なんと著者に無断で翻訳して原著者名も記さなかったという事実がある。英文で書かれていたという事実のみに権威的価値を見いだしたのか、単なる借用だったのか、今となっては真相もわからないが、当時ケンブリッジ大学にまで留学した末松氏が、のちに著名な政治家として出世するとは、思わなかったのかもしれない。

（久保　勇）

94　新たなる義経伝説が生まれようとしている！

義経は時空を超えてわれわれの心に生きつづけ、新たなる伝説が再び生まれようとしている。

なぜ義経が一般に定着し、不動の人気を誇っているのか？　この答えがそのまま、現代における新たなる義経伝説誕生を知るひとつの方法となるだろう。

義経は少なくとも学校の教科書で大きく取り上げられる歴史上の人物ではない。歴史の授業のなかで、教師から豆知識感覚でジンギスカン説の存在を聞いたことがあっても、義経そのものの人物像がイメージできるほどの情報ではなかったのではないだろうか。

世代によって異なるが、幼少期や低学年のころに読んだ絵本や児童書の影響が最初の出会いだった人が多いと思われる。軍記物語と絵画を考える出口久徳氏の指摘によると、一九三六年発刊の講談社の絵本は二〇三冊におよび、総部数七千万部だったという。『牛若丸』『義経と弁慶』『源義経』『静御前』『弁慶』が義経に関わる絵本となっているが、『平家物語』や『義経記』に取材して名場面をやさしく構成されたこれらの本は、軍記物語を読まずして義経のイメージを多くの人々に植えつけたことだろう。

読者の年齢層が高くなれば、戦後の七年間週刊誌に連載され、現在も多くの読者をもつ吉川英治《よしかわえいじ》氏の『新・平家物語』の存在が大きい。同じ時期、新聞連載された村上元三氏の『源義経』は、原作としてその後「映像化」されたことによって注目される。

代表的な映像化作品のひとつとして、一九六六年度ＮＨＫ大河ドラマ『源義経』がある。

モノクロ映像で古さは否めないが、運がよければ「総集編」をレンタルビデオで鑑賞することができる。ちなみに義経役は歌舞伎俳優の七代目尾上菊五郎《おのえきくごろう》だったが、当時を振り返って興味深い文章が書かれている。

「……終結に近づくにつれ、『義経を殺さないでくれ』という投書がたくさん寄せられました。……いろいろ考えた末、ドラマは義経一行が霧のなかを消えてゆくところで終わる、という形をとりました」(「御大将・義経」るるぶ愛蔵版)

村上氏の原作から脚本へ、さらに伝説を紹介して幕を閉じる演出がされたことが知られるが、きっとその背景には、講談社の絵本で育った多くの視聴者がいたのだろう。

一九九三年度大河ドラマ『炎立つ』(義経役・野村宏伸《のむらひろのぶ》)は、奥州藤原三代の栄枯盛衰《えいこせいすい》を壮大に表現したストーリーであったが、義経の最期に関しては、これまでと同様におぼろげにされている。

ちなみに民放でも大型時代劇ドラマとして『源義経』が二本制作されている。日本テレビ版は、野村宏伸主演・村上元三原作で、その壮絶な最期は大河ドラマにはない演出である。一方、TBS版は東山紀之《ひがしやまのりゆき》主演で、オリジナル脚本を用意したもので、奥州下りの途中で終わっている。

ほかにもオリジナルな物語を創出している点で注目されるのが、二〇〇〇年に公開された『五条霊戦記〈GOJYO〉』である。浅野忠信《あさのただのぶ》演じる遮那王《しゃなおう》（義経）を「五条の鬼」とし、その鬼と対決する修験者《しゅげんじゃ》として弁慶を登場させている。結末は作品に譲るが、こうした一風変わった内容の作品が生まれる理由のひとつとして、平成という新時代の世相が反映されているからだと思われる。

そして二〇〇五年度NHK大河ドラマは『義経』に決まった。義経の大河ドラマとしては実に三十九年ぶりである。義経役には多くの女性に絶大な人気を誇るジャニーズの滝沢《たきざわ》秀明《ひであき》が選ばれた。原稿を書いている時点では、「滝沢義経」がどんな姿を見せてくれるか想像もつかないが、今まさに新しい義経伝説が生まれようとしているのだ。（久保　勇）

95 義経にみる「英雄の条件」とは何か？

日本史に「英雄」として登場する人物たちについては、さまざまな議論がある。そもそも「英雄の条件とは何か？」というテーマ自体のなかで、義経が具体的な対象例として考えられていることが多い。しかし英雄研究は、第二次世界大戦時とその後、研究史自体が「国家的」な状況のなかで、思想的に揺れていったという経緯（国威発揚のための神話的英雄の存在の取り扱いなど）があり、難しい問題を抱えている。

ただ、「英雄」のいくつかの条件に、義経がピタリと当てはまる。むしろ源為朝《ためとも》（平安時代）、真田幸村《さなだゆきむら》（戦国時代）、西郷隆盛《さいごうたかもり》（明治時代）などのように「英雄不死伝説」の要素が付加されていった点では、おそらくトップクラスだろう。ここではまず、英雄の条件といえる悲劇性の一側面に触れてみよう。

兄・頼朝の命を受け、源氏の大将として平家討伐という輝かしい戦功をあげながら、梶原の告げ口によって頼朝から不信を買い、非業《ひごう》の死を迎えるという経緯は、周知の義経の結末である。こうした悲劇は、神話の時代『古事記《こじき》』のヤマトタケルの物語までさかのぼって比較することができる。

ヤマトタケルは父・景行《けいこう》天皇の命により、西のクマソタケル征伐を成し遂げ帰還するが、すぐさま東方十二道の平定を命じられる。休む暇も与えられず、大した軍勢もつけてもらえず、東征を命じられたヤマトタケルは「私に死ねというのか」と景行天皇の本意を疑い、おばのヤマトヒメに対して不満をもらす。

『日本書紀《にほんしょき》』にはない、こうした情感を含んだ物語は、人々の興味をひいて語り継がれる『古事記』の語りによる伝承の一端を示し、地域を語り歩く徒によって広がったという見方（塚崎進氏『源義経』など）は注目される。ヤマトタケルは結局大和に入ることなく病に倒れ、「白鳥」と化して天上へ上るが、鎌倉に入れられず、奥州で自害を余儀なくされた義経とのいくつかの共通点は大変興味深い。

話は義経に戻るが、『義経記《ぎけいき》』では、さまざまな知略を図った武芸をもって人々の耳目を驚かせた名将としての存在が位置づけられている。島津久基氏（『義經傳説と文学』）は、神話時代から日本における「武勇伝説」の系譜を分類され、源平時代においては「彼の平家の哀史と、この源氏の勇範とを一つに併せた如《ごと》き人物が若《も》しありとすれば、最も同情と崇敬とを一身に集むべくは、もとより怪しむに足りない。そしてそれは即《すなわ》ち九郎判官源義経を外にしては、求め得られないのである」と論じている。

島津氏によれば、後世の日本文学へ多大影響を与えたことを考えれば「源平時代の英雄ランキング一位は義経」ということになろう。六百年以上続いた武士の時代に支持され、英雄像の類型が見事に一致した人物であったともいえよう。（久保　勇）

96 「判官びいき」が日本人に高まる二つの条件とは？

「（兄頼朝に嫉視されて滅びた九郎判官源義経に対する同情の意）第三者が、弱者の立場に在るものに同情する気持。ほうがんびいき」

右は、かつて義経入夷論を批判した金田一京助氏編『新明解国語辞典』の「判官《はんがん》びいき」

という言葉の意味である。

たとえば、スポーツ観戦などで、つい劣勢のチームを応援してしまう精神性を指して「判官びいきだなぁ」などと、よく使われている。が、この言葉を使うたびに義経をイメージするとすれば、かなりの義経ファンということになる。壮大な歴史を負った語源が忘れ去られていく、あるいは「義経はかわいそう」という同情のイメージにだけ抽象化されてしまう傾向は止めようがない。

ただ、「判官びいき」の精神性を考えることは、そのまま「日本人」論のひとつの切口となり、多くの論者によって語られてきた。

そもそも「判官びいき」という言葉は、いつから使われていたのだろうか？　現在文献に確認できる最古の用例は「世や花に判官びいき春の風」という作者未詳の俳諧《はいかい》で、これを収める『毛吹草《けふきぐさ》』（松江重頼）が寛永十五年（一六三八）の編纂だから、言葉としての発生は室町時代末までさかのぼるといわれる。

ここでは「判官びいき」の社会史的条件について、歴史・民俗学者であった和歌森太郎《わかもりたろう》氏の論（『義経と日本人』）を参照しながら考えてみよう。

和歌森氏は「日本の国民性」ではなく「日本の民衆の意識の歴史」であると前置きし、「判官びいき」が高まる二つの条件を頼朝の存在に注意しながら次のように提示している。

ひとつは観念《かんねん》上兄弟や主従が協力し合うべきという倫理観が強くなること（江戸時代）もうひとつは、協同関係にあった二者のうちどちらかが成りあがり、もう一方が斜陽《しゃよう》化する事態が顕著《けんちょ》になること（南北朝・戦国時代・明治維新前後）である。二つの条件の力関係で、その傾向が強かった時代はカッコ内に示したとおりで、儒教的《じゅきょう》主従関係に支配された徳川時代には、豊臣秀吉を追慕《ついぼ》する意識が（頼朝＝徳川）あったことなどを例としてあげている。

いまわれわれが生きる現代は、価値観多様の時代といわれている。となると、これまで日本人がもっていた倫理的観念の共有を社会史的条件とする「判官びいき」的な民衆意識は、ますます希薄《きはく》になり、語義だけが継承されていくといった傾向にあるだろうか。

（久保　勇）

97 もし「真実の義経」の姿を求めて書物を探すのなら……

二〇〇五年度大河ドラマ『義経』の原作が、宮尾登美子《みやおとみこ》著の『平家物語』であるように、義経を知るうえで、まず思いつく本がこの軍記物語である。

教科書などでは『平家物語』作者が「信濃前司行長《しなののぜんじゆきなが》？」と示され、「？」がついているのは、作者自体の存在が確証できず、『平家物語』成立時期が不明であるからだ。『平家物語』にかぎらず、軍記物語の作者は、初期の『将門記《しょうもんき》』から「不明」というのが現状である。歴史をベースにした物語を創出する作者が無記名であったことは、むしろ自然かもしれないが、このことをはじめて知り驚かされた人も多いかもしれない。

義経に話題を戻せば、「九郎判官のことは詳しく知っていた」という『徒然草《つれづれぐさ》』の記事は、兄・範頼《のりより》との対照とはいえ、『平家物語』の義経像を信用したくなる情報である。ただし、作者不明という問題とともに、さまざまな内容を伝える異本が存在するという軍記物語が抱える問題を考慮しなければならない。

たとえば、多くの『平家物語』伝本のなかには、「吉野軍《よしののいくさ》」という独自の章段を設け、義経が秀衡を頼り、奥州に落ちていくまでを流れで記した本もあるが、一般に、われわれが教科書などで読んでいる『平家物語』覚一本《かくいちぼん》もしくはその系統の流布本《るふぼん》には、これにあてはまる章段記事はない。

さらに顕著《けんちょ》な例を挙げれば、義経の出生と母・常盤《ときわ》のエピソードを描く『平治物語』には、牛若の「奥州下り」自体がある本とない本がある。古態本とされる学習院大学蔵本は「牛若奥州下りの事」の章段が存在するが、その後に出された金刀比羅宮《ことひらぐう》蔵本には奥州下りはなく、頼朝の伊豆配流の場面で全巻を閉じている。金刀比羅宮蔵本は室町時代に成立し、『平家物語』の存在を意識して、頼朝の源氏再興への経緯をダイジェスト的に記している先行本文を削除したという見方が有力だ。

軍記物語に「義経」の姿を求めたとしても、たまたま手に取った本によって書かれていることが違うということがありうるのである。

軍記物語以前の一次史料を検証して「真実の義経」を求めるならば、鎌倉幕府の記録書『吾妻鏡《あずまかがみ》』、記録の集成書『百錬抄《ひゃくれんしょう》』、九条兼実《くじょうかねざね》の『玉葉《ぎょくよう》』、吉田経房《つねふさ》の『吉記《きっき》』、藤原忠親《ただちか》の『山槐記《さんかいき》』等の日記、兼実の弟である慈円《じえん》の史書『愚管抄《ぐかんしょう》』を参照するといいだろう。とはいえ、文体としてはどれもなじみにくい書物だ。それならば、これらをすべて網羅《もうら》し、義経の生涯を解説されている渡辺保氏の『源義経』（人物叢書）を、参照してみてはいかがだろうか。

（久保　勇）

98 混沌をきわめる「義経伝説」の全貌を調べるには？

さまざまなエピソードをもつ義経伝説をめぐって、その全貌を知るために何を調べればよいのか？「義経伝説」の検索語でインターネット上を文献検索すると、その数の多さに圧倒される。

近所の図書館でたまたま配架されていた「義経伝説」を手に取ったとしても、まさに「氷山の一角」にしかすぎず、その本自体が新たな義経伝説を創出している可能性もあるので、その選択はきわめて難しい。

義経が衣川から姿を消した文治《ぶんじ》五年（一一八九）から、今日まで八百年余が経過している。この大部分の期間、人々に育まれてきた伝説を収集、分析した研究書がある。国文学者・島津久基氏が、大正五年（一九一六）に東京帝国大学（現在の東京大学）に提出した卒業論文『義経伝説と文学』で、今なお多くの研究者に参照されている。

残念ながら現在では復刻本も絶版になってしまっているが、大学や都道府県立の図書館に行けば閲覧《えつらん》できるはずである。総七六八ページにおよぶ同書は、序篇と本篇に分かれており、本篇は「義経伝説」「義経文学（判官物）」の二部構成だが、前半の序篇一二六ページだけを参照しても、義経という存在のバラエティに富んだ概要を知ることができる。

近年、義経伝説を伝える著作や考証を集成した資料集『書物の王国20　義経』(須永朝彦編・国書刊行会・二〇〇〇）が発刊された。謡曲・浄瑠璃・幸若舞曲・お伽草子の主要作品は現代語訳され、現在では入手が困難な義経生存説の主要な論考も記載されている。初期の成吉思汗説として、末松謙澄氏『義経再興記』の収録は貴重である。

義経伝説を著述、特集する文献は枚挙《まいきょ》にいとまないが、まずは義経の一代記である『義経記』が基本になるだろう。室町時代に成立した本書は、先行する『平家物語』や『平治

『物語』等の軍記物語から比べれば、義経とその家臣たちの人物構成などが相当に変容している。

民俗学者・柳田国男《やなぎだくにお》氏の「東北文学の研究」(『雪国の春』所収・一九二六)では、『義経記』とその影響下の作品を論じている。柳田氏の伝承研究は、〈日本全国に広がる伝承を、誰がどのようにもたらし各地に継承されたか〉〈都で制作された文学作品でも、地方からの伝承が取り込まれている〉といった二つの視点から、伝承の方向性をとらえている。

また「現在の『義経記』は、合資会社のごとき持寄所帯で、各部分の作者産地はそれぞれに別であった」「粗末な継ぎ合わせのセメントはたぶん京都製だろう」と述べており、当時あった義経関係の説話を収集・結合した作品として位置づけている。「北国下り」以下の奥州の地名に詳しいこと、弁慶関係記事を含め、熊野と通ずる修験について詳しいなどを理由としてあげ、奥州地方の伝承が取りこまれた痕跡《こんせき》を説いている。

『平家伝説』の著者・松永伍一《まつながごいち》氏は、「平家伝説」を「群」と、「義経伝説」を「個」と捉え、平家は集落内に閉ざされた方向で伝説が維持されてきたが、義経は『義経記』に伝承を提供した修験者のめぐるルートを、のちの遊芸者《ゆうげいしゃ》たちが脚色を加えながら拡大していったという。軍記に発した伝説でも本質的に異なることが重要だろう。

(久保　勇)

99 義経の足跡をたどる旅行に出るとすると？

いま、伝説を含めて、義経の足どりをたどる旅に出たとしたら、どれくらいの日数が必要になるだろうか。「成吉思汗説」を除いて考えたとして、モンゴルへ渡らず国内だけに限定しても、二日や三日で終わるような旅にはならない。仮に史実として裏づけの取れる史跡だけに限定したとしても、南は壇ノ浦（山口県下関市）、北は平泉（岩手県平泉町）にまで広範囲におよぶ行程となる。単純に見積もっても、最低三週間以上はかかるのではないだろうか？

ちなみに史実のみだけに限定した義経の足どりに関しては、大きく三つに分類することができる。

第一にあげられるのは、当然といえば当然なのだが、鞍馬から奥州への「義経奥州下り」の足どりだ。自分の出生の秘密を知った義経が、鞍馬を飛び出して奥州藤原氏のもとへ赴く道のりで、詳しいことについては『平治物語』『平家物語』『義経記』『玉葉』などの文献に記されている。しかし、具体的な日付に関しては、文献によって異なるため特定はできないが、道のりは太平洋側（今でいう東海道）を北上する旅であったとされている。

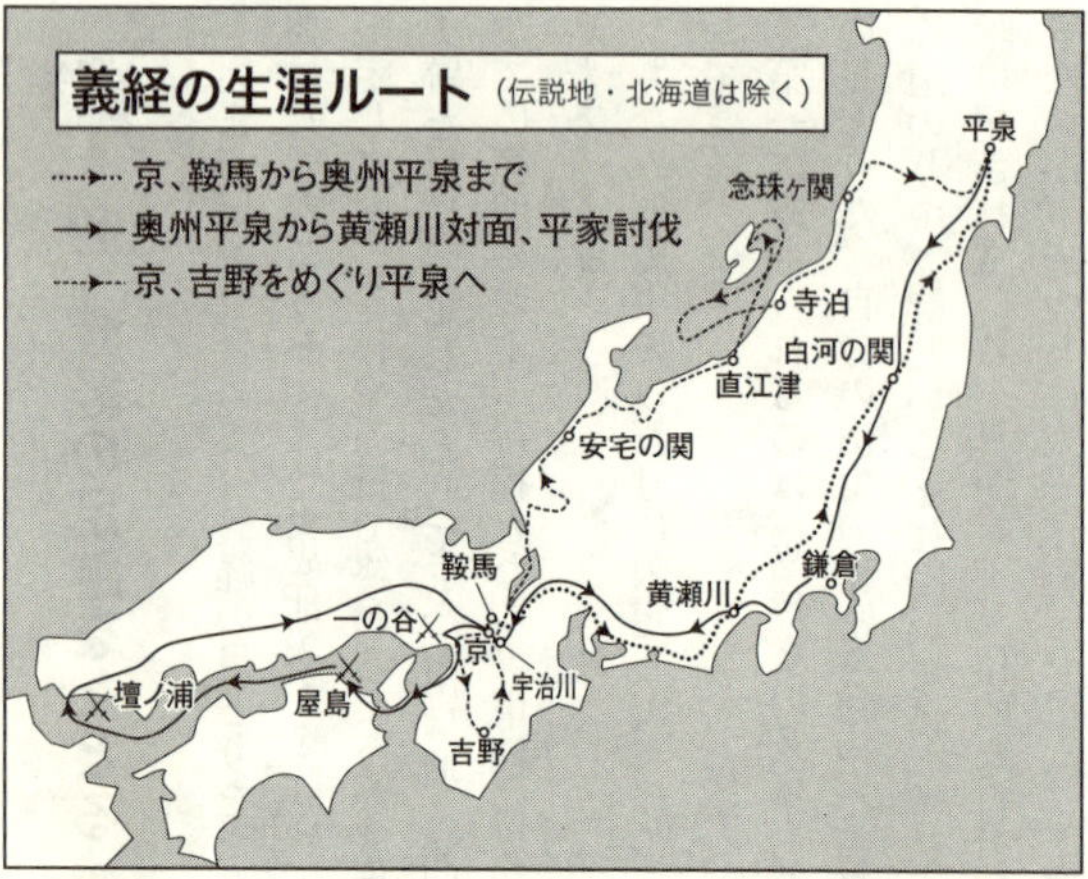

第二は、兄・頼朝との涙の黄瀬川《きせがわ》対面に始まり、宇治・一の谷・屋島・壇ノ浦といった「義経の栄光」の足どりである。義経の栄光のすべてを知るうえで必要不可欠な道のりだが、その勇姿に関しては多くの文献でも確認することができる。ちなみに義経一代記をつづったとされる『義経記』においてこの部分が簡略化されているのは、『平家物語』との重複《ちょうふく》を避けているためだといわれることが多い。

そして第三にあげられるのが、栄光に満ち溢《あふ》れていた義経が、一気に悲劇への道を突き進んだ「逃避行」の足どりだ。兄・頼朝に退けられ、鎌倉入りを拒否されて、失意のなか東海道を通って再度上洛、その後追われる身となり、西国落ちに失敗し、吉野への逃走ののち、北陸方面から奥州へと落ち延びる道のりだが、このようすについては『義経記』のなかで、吉野での静との別離、忠臣佐藤忠信の献身的な活躍などといったことを、織り交ぜながら詳しく描かれている。また、北陸を通る道中、弁慶が各関所で機転を働かせ、捕縛の危機をしのぐ活躍ぶりは、謡曲「安宅《あたか》」や歌舞伎「勧進帳《かんじんちょう》」などでも知ることができる。

このように史実だけに限定して三つに分類した足どりを見ただけでも、非常に多くの義経に関する土地や場所が存在することがわかるだろう。同時に、現代のように車や電車といった便利な交通手段がなかった当時において、これだけの土地や場所を訪れているということは、義経という人物が、行動力あふれる人物であったあらわれであろう。

われわれが義経を知るうえで、こういった土地や場所に足を運んでみるのが最良なのだが、ただの観光気分だけではつまらないだろう。やはり、実際にさまざまな峠越え山越えなどといった道中の険しさ、北陸・東北の冬の厳しさなどを追体験してみて、困難な道中に対する義経が何を思い考えたのか、想像しながら歩いてみるのもおもしろいのではないだろうか？

（久保　勇）

執筆者紹介（掲載順）監修者はカバーに表示

●冨澤慎人（とみざわ・まこと）
1967年群馬県生まれ。二松学舎大学大学院文学研究科国文学専攻博士課程単位取得。専攻分野は日本中世文学、説話文学。二松学舎大学文学部助手を経て2000年4月より私立普連土学園中学校・高等学校教諭。主な著書は、『日本奇談逸話伝説大辞典』『日本説話伝説大事典』『日本姓氏家系歴史伝説大事典』（共著、以上、勉誠出版）、『教科書が教えない歴史人物の常識疑問』（共著、新人物往来社）など。

●小井土守敏（こいど・もりとし）
1968年群馬県生まれ。筑波大学大学院文芸・言語研究科博士課程単位取得退学。修士（教育学）。専門分野は日本中世軍記文学。筑波大学文部科学技官を経て2002年より昭和学院短期大学助教授。著書に『中世・鎌倉の文学』（共著、翰林書房）、『長門本平家物語』（共著、勉誠出版）など。

●瀬戸慎一郎（せと・しんいちろう）
1963年福島県生まれ。週刊誌記者を経て、現在は歴史・芸能・競馬・スポーツなど幅広いジャンルで執筆活動を続ける。得意な歴史ジャンルは鎌倉、戦国、幕末史および中国古典の『史記』『三国志』。主な著書に『最後の馬喰・佐藤伝二』（KKベストセラーズ）、『綾』（アスペクト）、『悲劇のサラブレッド』（講談社）などがある。

●武田櫂太郎（たけだ・かいたろう）
1956年宮城県生まれ。法政大学社会学部卒業。歴史関係の出版社で日本史・世界史の雑誌・単行本編集に携わる。その後、フリーの歴史ライター兼編集者に。著書に『目からウロコの江戸時代』（PHPエディターズグループ）、おもな共著に『酔っぱらい大全』（講談社）、『信長の朝ごはん　龍馬のお弁当』『大貧乏大逆転』（以上、毎日新聞社）などがある。

●岡田博子（おかだ・ひろこ）
1963年千葉県生まれ。長野市在住。都内大学院文学研究科国文学専攻博士課程修了。大学院では古記録、日本の古典を研究。現職は看護学校講師、大学研究所研究員。著書に『日記文学事典』『枕草子大事典』（以上、勉誠社）、『別冊歴史読本』（新人物往来社）など多数。

●財前又右衛門（ざいぜん・またえもん）
1964年長野県生まれ。小学一年生のときに見たNHK大河ドラマ『新平家物語』に魅了されて以来、歴史に強い関心をもち続ける。平安和歌文学研究のかたわら、平安時代から戦前までの歴史について、『別冊歴史読本』（新人物往来社）などを中心に幅広く執筆活動を行なう。

●鵜飼伴子（うかい・ともこ）
1972年愛知県生まれ。千葉大学大学院社会文化科学研究科日本研究専攻博士課程修了。博士（文学）。専門分野は日本近世演劇（江戸歌舞伎）。93年より国立劇場調査資料課の非常勤職員として劇場刊行物の編集にたずさわってきたが、現在はフリーで活動。主な著書は『山東京山伝奇小説集』（共著、国書刊行会）、『歌舞伎お作法』（共著、ぴあ株式会社）など。

●四條たか子（しじょう・たかこ）
1959年山梨県生まれ。武蔵大学大学院人文科学研究科日本語日本文学専攻修士課程修了。学芸員資格取得（美術）。専門は日本中世史・日本中世美術史。骨董店勤務、歴史小説家アシスタントなどを経てフリーライター。『議員情報レーダー』（ぎょうせい・季刊）に日本各地の伝統工芸・伝統芸能と町おこしの取組みを紹介するシリーズを連載中。

●久保　勇（くぼ・いさむ）
1968年神奈川県生まれ。千葉大学大学院社会文化科学研究科日本研究専攻博士課程修了。博士（文学）。専門分野は日本中世文学（軍記物語）。00年～現在、千葉大学大学院社会文化科学研究科助手。01年～現在、軍記・語り物研究会運営委員。延慶本『平家物語』の成立に関わる問題がテーマ。主要論文は「延慶本『平家物語』の〈狂言綺語〉観―〈物語〉の志向したもの」（『文学』、岩波書店）、「延慶本『平家物語』の音楽関係記事再考―成立環境の一端をめぐって―」（『軍記と語り物』39号）など。

二見 WAiWAi 文庫

源《みなもとの》義《よし》経《つね》99 の謎《なぞ》と真《しん》相《そう》

［監修者］ 高木 浩明

［発行所］ 株式会社 二見書房
東京都千代田区神田神保町 1-5-10
電話 03(3219)2311 ［営業］
03(3219)2315 ［編集］
振替 00170-4-2639

落丁・乱丁本はお取り替えいたします。
定価は、カバーに表示してあります。

［編　集］ 有限会社 ブルボンクリエイション
［印　刷］ 株式会社 堀内印刷所
［製　本］ 村上製本

ISBN4-576-04199-1
http://www.futami.co.jp

読めそうで読めない 間違いやすい漢字

出口宗和［著］

誤読の定番に思わず「ヘェ～！」。集く（すだく）、言質（げんち）、漸次（ぜんじ）、訥弁（とつべん）など、誤読の定番から漢字検定1級クラスまで。

読めそうで読めない 漢字の本

出口宗和［著］

誤読の定番から難読四文字熟語まで、漢字検定上級突破も夢ではない！　強面（こわもて）与る（あずかる）戦ぐ（そよぐ）この漢字正しく読めますか？

出身県でズバリわかる 相性診断

岩中祥史［著］

出身県別相性早見表、各種県民意識調査などのデータをベースに47都道府県人の性格と相性を徹底分析！　コレ一冊で仕事も恋愛も向かうところ敵なし！

つきあい方がわかる 相性占い

訪　星珠［著］

この本で人間関係の悩みは全て解消！　12の星座宮から恋人はもちろん、友人、同僚、上司、親にいたるまであらゆる人間関係で、対人運がアップします。

〈○×クイズ〉旅が3倍楽しくなる本

浅井健爾［著］

新宿新都心はかつて池だった？　淡路島にもかつて鉄道があった？　など温泉、名所から世界遺産まで知れば知るほど旅が楽しくなる日本まるかじり400問！

笑うナース 笑えるナース

池内好美［著］

実在するオタンコナース、仰天エロドクター、抱腹絶倒おバカ患者、病院は毎日がパニック！　現役看護婦79人がばらす患者、ドクター、ナースのヒミツ…